PROFIL FORMATION

Collection dirigée par Georges Décote

LA LIT...
FANTA...
EN FRANCE

par **Véronique Ehrsam**
ancienne élève
de l'École Normale Supérieure
agrégée des Lettres

et **Jean Ehrsam**
professeur de Lettres à l'E.M.S.

HATIER

Sommaire

© HATIER PARIS JUIN 1985

Toute représentation, traduction, adaptation ou reproduction, même partielle, par tous procédés, en tous pays, faite sans autorisation préalable est illicite et exposerait le contrevenant à des poursuites judiciaires. Réf. : loi du 11 mars 1957.

ISSN 0337-1425   ISBN 2-218-**07239**-4

Vers une définition du fantastique

FANTASTIQUE ET SURNATUREL

L'emploi usuel du mot « fantastique » en fait un synonyme d'« étonnant », « incroyable », « sensationnel ». A propos de tout ce qui sort de l'ordinaire, on entend l'exclamation : « C'est fantastique ! » On oublie trop souvent que cet emploi est une extension par rapport au sens premier du terme.

« Fantastique » est d'abord un adjectif défini en ces termes par le Petit Robert : « Qui est créé par l'imagination, qui n'existe pas dans la réalité ; qui paraît imaginaire, surnaturel. » Retenons que le fantastique naît de l'imagination et fait intervenir le surnaturel. A nous d'approfondir ces données essentielles mais insuffisantes pour cerner avec précision le genre fantastique.

Tout récit fantastique met en scène des événements qui ne peuvent être expliqués par les lois naturelles. Vampires, personnages démoniaques, objets maléfiques hantent l'univers du fantastique. Réel et imaginaire, naturel et surnaturel doivent se rencontrer et se contaminer. Ainsi la statue de *La Vénus d'Ille* de Mérimée (que nous résumons et analysons page 9) est à la fois un objet d'art inerte et une idole vivante et inquiétante. C'est cette double nature qui l'érige en créature fantastique.

Mais la présence du surnaturel ne suffit pas à caractériser le fantastique puisqu'elle est aussi une des conditions du merveilleux. C'est précisément la fonction du surnaturel dans chacun des deux genres qui permet de les distinguer ; c'est pourquoi nous examinerons les rapports entre des notions que l'on confond souvent : fantastique et merveilleux, fantastique et étrange, fantastique et science-fiction.

FANTASTIQUE ET MERVEILLEUX

• *Le merveilleux est un surnaturel sans mystère*

Dans le merveilleux, le surnaturel semble aller de soi. L'intervention des fées *(Cendrillon, Les Fées)*, les animaux qui parlent (dans *Le chat botté, Le petit chaperon rouge*), la sorcellerie (dans *Blanche-Neige*) ne provoquent aucune surprise. Le narrateur ne cherche pas à justifier ou à expliquer le surnaturel. Les personnages le considèrent comme une partie intégrante de leur univers. Il s'agit d'un jeu et le lecteur l'accepte comme tel : il sait qu'au royaume du merveilleux, rien n'est impossible.

Dans le merveilleux, monde surnaturel et monde naturel coexistent et coopèrent en paix. En effet, la fonction du surnaturel est ici de permettre la réalisation des désirs des personnages, de restituer le bonheur et l'ordre. Tel est le rôle de la marraine-fée de Cendrillon, qui permet à la pauvresse d'épouser son prince charmant. Le surnaturel maléfique (l'ogre du *Petit Poucet*, le « méchant loup » du *Petit chaperon rouge*...) est toujours vaincu par le surnaturel bénéfique. Le surnaturel ne pose donc pas problème, il ne constitue pas un mystère dans le merveilleux.

• *Le fantastique est un surnaturel mystérieux*

Dans le fantastique, le surnaturel est source d'interrogation et d'hésitation. Loin de s'intégrer harmonieusement à la réalité, il vient la troubler, parfois la menacer. Prenons l'exemple de la résurrection, phénomène surnaturel par excellence.

Dans *Véra*[1] de Villiers de L'Isle-Adam, le héros, le comte d'Athol, refuse la mort de sa bien-aimée et décide de vivre comme si elle partageait encore son existence. Son serviteur Raymond accepte de se plier à ce « jeu funèbre » tout en ressentant « un frisson de superstitieuse terreur ». Peu à peu, le comte parvient à entrer en communication avec Véra. Celle-ci vient le visiter et déposer la clef de son tombeau sur le lit nuptial.

Véra est un conte fantastique parce que le lecteur ne peut décider si les faits narrés relèvent du surnaturel ou si l'apparition de Véra n'est que le fruit de l'hallucination du comte. Véra est-elle une revenante ou un « mirage terrible » suscité par la folie du comte ? Le mystère demeure et nous inquiète car il remet en cause les lois connues de notre univers, en l'occurrence l'impossibilité d'être vivant et mort à la fois. La fonction du surnaturel dans le fantastique est donc de lancer un défi à notre raison et de déranger l'ordre naturel du monde. Le surnaturel est un mystère inexplicable et inquiétant dont l'intrusion aboutit souvent à un dénouement tragique.

FANTASTIQUE ET ÉTRANGE

• *L'étrange ou le surnaturel refusé*

Dans le récit étrange[2], l'irruption du surnaturel n'est qu'apparente. Comme dans le fantastique, elle offre matière à interrogation et peut provoquer la peur. Mais, loin de demeurer mystérieuse, elle trouve une explication rationnelle.

Le caractère insolite des événements fait croire à la possibilité du surnaturel, mais ce dernier est écarté au profit de solutions claires et réalistes (La supercherie) la méprise,

---

1. Cf. plus loin les pages consacrées à Villiers de L'Isle-Adam et à *Véra* (pages 26-28).
2. Nous empruntons à T. Todorov sa conception de l'étrange, telle qu'il la définit dans *Introduction à la littérature fantastique*, Éditions du Seuil, collection Points, 1970.

(adj) = anormal, étrange, étonnant
= inhabituel, étonnant

le rêve, l'hallucination, la folie, l'ivresse, l'influence des drogues peuvent expliquer l'illusion temporaire du surnaturel.

Dans le récit étrange, le surnaturel non seulement n'est plus un mystère, mais il n'existe pas. La littérature de l'étrange aime l'extraordinaire, l'insolite, mais elle les cantonne dans notre monde.

• Le roman policier : cas particulier de l'étrange

Le roman policier connaît aujourd'hui la même fortune que la littérature fantastique aux environs de 1830. Si les deux genres placent l'interrogation et le mystère au cœur du texte, le roman policier s'écarte du fantastique puisqu'il fait triompher la déduction logique. L'énigme est levée grâce à la perspicacité du héros au pouvoir infaillible, qui restaure ordre et limpidité dans le monde. Le roman policier, parce qu'il élimine le surnaturel et l'inexplicable, relève donc de l'étrange.

LA SCIENCE-FICTION :
ENTRE LE MERVEILLEUX
ET LE FANTASTIQUE

Les récits de science-fiction ont remplacé les contes de fées. Comme eux, ils permettent à l'homme de réaliser ses désirs encore inassouvis par le progrès technique : conquérir l'espace interplanétaire, remonter le temps, vaincre la mort. Les savants jouent le rôle des fées, des bons génies ; les machines remplacent les sortilèges et les baguettes magiques. La science autorise tous les débordements de l'imagination. C'est le « merveilleux scientifique ».

Les revues, les festivals de cinéma confondent fantastique et science-fiction. Tous deux s'adressent à un même public épris d'insolite et d'évasion. Il existe entre eux une parenté. De même que le fantastique tente de répondre aux questions de l'homme face à l'au-delà, la science-fiction est l'occasion d'imaginer et d'interroger l'avenir de l'humanité, de réfléchir aux risques qu'il représente. La science est devenue elle-même une source d'angoisse en raison des pouvoirs qu'elle confère à l'homme. La science-fiction exprime la mauvaise conscience d'un vingtième siècle apprenti sorcier. Le monde qu'elle invente n'est pas le surnaturel mais la projection de notre monde dans un futur incertain.

UN EXEMPLE DE FANTASTIQUE PUR : *LA VÉNUS D'ILLE*

• *L'histoire*

La Vénus d'Ille de Mérimée, conteur du XIXᵉ siècle, est un des chefs-d'œuvre du conte fantastique. Il offre un exemple parfait de l'ambiguïté constitutive du genre. L'histoire se présente comme une aventure vécue par l'auteur lui-même. En voici le résumé succinct.

Le narrateur, désireux de visiter la région d'Ille, petite ville catalane, est hébergé par un archéologue, sur le point de marier son fils et propriétaire d'une inquiétante Vénus en bronze. La statue, qui a causé la perte accidentelle d'une jambe à un jeune homme, jouit d'une réputation de méchanceté auprès des habitants de la région. Le matin de ses noces, le fils de l'archéologue laisse au doigt de la statue sa bague de mariage pour engager une partie de paume, jeu où il excelle, contre des Espagnols. Par malheur, il oublie de reprendre son bien. Le soir, le jeune homme en plein désarroi révèle au narrateur que la Vénus ne lui a pas laissé reprendre l'anneau : « Le doigt de la Vénus est retiré, reployé ; elle serre la main, m'entendez-vous ?... C'est ma femme, apparemment, puisque je lui ai donné mon anneau... Elle ne veut plus le rendre. » Le lendemain matin, le jeune homme est retrouvé mort, portant sur lui des marques comme s'il « [...] avait été étreint dans un cercle de fer ». La jeune épouse affirme avoir vu la statue étreindre son mari jusqu'à la mort. L'Espagnol, vaincu au jeu de paume par la victime, est soupçonné puis relâché faute de preuve. Personne ne parvient à « [...] éclairer cette mystérieuse catastrophe ».

• L'ambiguïté fantastique

La Vénus d'Ille est un récit fantastique pur parce que rien dans le texte ne permet de décider si la Vénus est réellement un objet surnaturel, et ceci jusqu'à la fin. L'habileté de Mérimée consiste à préparer progressivement le lecteur à l'événement surnaturel (l'animation de la statue), point culminant de l'histoire. Dès le début du conte, un paysan décrit l'idole en ces termes : « Elle vous fixe avec ses grands yeux blancs... On dirait qu'elle vous dévisage. On baisse les yeux, oui, en la regardant. [...] Elle a l'air méchante. »

La description de la Vénus par le narrateur insiste sur sa « merveilleuse beauté » alliée « à l'absence de toute sensibilité » et sur son regard étrangement vivant : « Ces yeux brillants produisaient une certaine illusion qui rappelait la réalité, la vie. » Elle porte des inscriptions à double sens : « cave amantem » peut signifier « prends garde à celui qui t'aime » mais aussi « prends garde à toi si elle t'aime ». Lors de l'épisode du doigt replié, le lecteur ne peut s'empêcher de penser à cette formule, qui sonne comme un avertissement. Le dénouement tragique vient confirmer l'interprétation surnaturelle.

Mais l'état d'ivresse du jeune marié observé par le narrateur : « Le misérable, pensai-je, est complètement ivre », la folie apparente de son épouse encore sous le choc lorsqu'elle rapporte la scène du drame, enfin la menace prononcée par l'Espagnol : « Me lo pagaràs[1] », lors de la partie de paume, interdisent au lecteur de conclure.

Bien que le récit fasse pencher le lecteur pour la thèse du meurtre par la statue, le mystère reste intact. *La Vénus d'Ille* obéit à la clé du genre fantastique : l'ambiguïté.

---

1. « Tu me le paieras. »

LES TROIS CLÉS DU FANTASTIQUE

• *Des histoires inexplicables à l'apparence surnaturelle*

Le fantastique raconte des événements inexplicables par les lois rationnelles qui régissent notre monde. La teneur de ces événements remet en question la perception ordinaire de la réalité et amène le lecteur à supposer l'intervention du surnaturel.

Ainsi le meurtre du jeune marié dans *La Vénus d'Ille* ne semble pouvoir s'expliquer que par le caractère surnaturel de la statue. Celle-ci serait un objet vivant qui réunirait les deux catégories incompatibles de l'animé et de l'inanimé.

• *Des histoires ambiguës*

L'art du fantastique consiste à placer le lecteur dans l'incapacité de choisir entre une interprétation surnaturelle des faits et une explication rationnelle, tout en lui suggérant que les deux solutions sont vraisemblables.

Ainsi le meurtre, dans la nouvelle de Mérimée, peut être causé soit par la Vénus (choix du surnaturel), soit par l'Espagnol (choix du rationnel). Le fantastique émane de ce dilemme.

• *Des histoires inquiétantes*

L'impossibilité de trancher définitivement, le bouleversement des cadres habituels de perception et de pensée suscitent le malaise, voire l'angoisse chez le lecteur (ce que Freud appelle « l'inquiétante étrangeté »), qui voit lui échapper non seulement l'interprétation de l'histoire mais aussi celle de l'univers.

Tous les degrés de la peur peuvent d'ailleurs se rencontrer dans le fantastique, de la simple inquiétude à l'épouvante.

2 XVIIIᵉ siècle : l'aube du fantastique

LA RENAISSANCE DE L'IRRATIONNEL AU XVIIIᵉ SIÈCLE

Le siècle des Lumières semble bien éloigné, à première vue, de l'irrationnel. Or, c'est au moment où l'esprit philosophique et scientifique semble l'emporter que l'occultisme réapparaît en force. La croyance en la magie est alors très répandue, tant dans le peuple que dans les classes plus cultivées. Chez le premier, elle explique la vogue des envoûteurs, des fabricants de filtres, des cartomanciennes ; chez les autres, elle permet de comprendre la prolifération des sectes et des confréries organisées en loges plus ou moins secrètes.

On a d'ailleurs tendance à majorer l'importance de la raison au siècle des Lumières. Durant toute cette période coexistent la sensibilité et la raison, la passion pour l'analyse intellectuelle et la curiosité pour l'étrange et le merveilleux.

Cette contradiction apparente est peut-être une constante dans les rapports entretenus entre l'irrationnel et la raison. Plus s'affirme l'esprit critique, plus resurgit le besoin de croire au surnaturel. La fin du XVIIIᵉ et le XXᵉ siècle en sont la preuve constante ! Notre époque scientifique ne fait-elle pas grand cas des Nostradamus ou autres astrologues ?

Dernière cause de ce regain d'intérêt pour l'irrationnel :
l'affaiblissement de l'Église et de la foi, qui laisse la porte
ouverte à toutes les ferveurs. Comme le dit Roger Caillois, le fantastique « naît quand on ne croit plus aux mira-
cles ». Les philosophes ont donc, en dépit d'eux-mêmes,
œuvré pour la résurgence des sciences occultes.

L'illuminisme[1] a touché la plus haute aristocratie ; il
s'oppose à la raison, prête une existence aux forces surnaturelles et croit en une communication avec l'au-delà.
Trois illuminés dominent cette période de crise : le Sué-
dois Swedenborg qui fonde les lois de l'univers sur la cor-
respondance entre le monde spirituel et le monde maté-
riel, Martines de Pasqually qui recommande l'étude des
sciences ésotériques[2] pour parvenir au salut, et Claude de
Saint-Martin.

LA NAISSANCE DU CONTE FANTASTIQUE :
JACQUES CAZOTTE (1719-1792)

Jacques Cazotte joue un rôle déterminant dans l'apparition du genre fantastique. Il illustre parfaitement l'esprit
antiphilosophique et illuministe caractérisé précédem-
ment. Attaché au système monarchique et à l'esprit mystique, il dénonce l'influence, néfaste selon lui, des philosophes qui font souffler « l'esprit de sécheresse et de symé-
trie », au détriment des chimères et des féeries.

Les premières œuvres de Cazotte sont des contes de fées
marqués par la mode de l'orientalisme : *La patte du chat,
Les mille et une fadaises, La belle par accident.* Nous sommes dans un monde merveilleux nourri de surnaturel.
Avec *Le Diable amoureux,* l'auteur donne sa mesure et
engage la littérature dans une voie nouvelle : celle du
fantastique.

---

1. Doctrine, mouvement de certains mystiques dits « illuminés ».
2. Se dit de toute doctrine ou connaissance qui se transmet par tradition orale
à des adeptes qualifiés.

• Le Diable amoureux *(1772)*

Au début du récit, Alvare, jeune officier espagnol, s'initie aux pratiques magiques et lance un défi au diable : il aimerait lui « tirer les oreilles ». Mal lui en prend, une tête de chameau apparaît et l'interpelle en italien : « Che vuoi ? » Belzébuth se manifeste encore à plusieurs reprises, prenant successivement la forme d'un chien, d'un chameau, d'un page, d'une charmante jeune fille, Biondetta. Cette dernière poursuit le héros de ses assiduités. Le doute s'installe. Biondetta est-elle vraiment diabolique ? La nuit d'amour révélera la vérité.

« - Ingrat, place la main sur ce cœur qui t'adore ; (...) dis-moi, enfin, s'il t'est possible, mais aussi tendrement que je l'éprouve pour toi : Mon cher Belzébuth, je t'adore... »

Par cette révélation nous retrouvons l'allusion diabolique faite au début du conte. Plaisanterie de femme amoureuse ou vérité révélée ? L'indécision subsiste. Pourtant, quelques lignes plus loin, l'auteur nous engage délibérément dans la voie du surnaturel : « A l'instant, l'obscurité qui m'environne se dissipe : la corniche qui surmonte le lambris de la chambre s'est toute chargée de gros limaçons : leurs cornes, qu'ils font mouvoir vivement et en manière de bascule, sont devenues des jets de lumière phosphorique, dont l'éclat et l'effet redoublent par l'agitation et l'allongement. Presque ébloui par cette illumination subite, je jette les yeux à côté de moi ; au lieu d'une figure ravissante, que vois-je ? O ciel ! c'est l'effroyable tête de chameau. Elle articule d'une voix de tonnerre ce ténébreux « Che vuoi » qui m'avait tant épouvanté dans la grotte, part d'un éclat de rire humain plus effrayant encore, tire une langue démesurée... »

La métamorphose est cette fois-ci totale. Au décor raffiné succède l'animalité déplaisante. Le bestiaire le plus monstrueux agresse le héros. Retrouverions-nous le monde des monstres et des êtres maléfiques ? Non. Cazotte interrompt bien vite la description : notre curiosité est simplement piquée. L'auteur préfère analyser l'état de trouble du héros : « Je me précipite ; je me cache sous le lit, les yeux fermés, la face contre terre. Je sentais battre mon cœur avec une force terrible : j'éprouvais un suffoquement comme si j'allais perdre la respiration. »

On ne peut que partager son inquiétude. Le retour au vraisemblable et à la réalité se fait graduellement : un paragraphe prolonge encore l'indécision puis nous retrouvons la réalité quotidienne. La fin du texte propose une solution ration-

14

nelle : un personnage explique au héros qu'il a dormi qua-
torze heures sans se réveiller. Ainsi la vision s'apparenterait
au rêve. Nous aurions retrouvé le monde des certitudes
rationnelles.

• *Le mystère de Biondetta*

L'intérêt du *Diable amoureux* de Cazotte est dans le
mélange continuel du réel et de l'irréel. Le lecteur est pré-
venu : Biondetta est un être diabolique, mais la grâce de
l'héroïne dissipe peu à peu la peur ; son charme sensuel
nous séduit et efface son origine. Nous oublions Satan
pour ne plus voir en elle qu'une femme passionnée. D'ailleurs Alvare, le héros, en vient à ne plus distinguer rêve
et réalité : « Tout ceci me paraît un songe, me disais-je ;
mais la vie humaine est-elle autre chose ? Je rêve plus
extraordinairement qu'un autre et voilà tout. »
    Mais Cazotte ne renouvellera pas l'expérience du *Dia-
ble amoureux*. Dans les contes orientaux publiés vers la
fin de sa vie et regroupés sous le titre *Continuation des
mille et une nuits*, nous retrouvons le merveilleux, mais
au service d'une morale et d'une vision du monde. La pensée religieuse influencée par l'illuminisme, le mysticisme
et la pensée contre-révolutionnaire marquent la personnalité du conteur.
    Cazotte est l'initiateur d'un genre ; il appartiendra à
l'époque romantique de donner au fantastique ses lettres
de noblesse et sa plénitude véritable.

3 Première moitié du XIXᵉ siècle : l'âge d'or du fantastique

INFLUENCES ÉTRANGÈRES

• Le roman noir anglais

Vers le début du XIXᵉ siècle, la littérature française découvre le roman noir anglais. Les lecteurs se familiarisent avec les noms d'**Horace Walpole** (*Le château d'Otrante*, 1764), **Ann Radcliffe** (*Les mystères d'Udolphe*, 1794), **Matthew Gregory Lewis** (*Le moine*, 1796) et **Robert Maturin** (*Melmoth*, 1820). Leurs œuvres abondent en péripéties délirantes et incongrues. Le macabre et la terreur sont devenus les fins réelles de la création romanesque, sans souci de vraisemblance. Tous les moyens sont bons pour susciter l'horreur : fantômes, squelettes, couvents hantés, cimetières au clair de lune. Contrairement au fantastique, ce que l'on a aussi appelé les romans « gothiques » ou « frénétiques » cultivent la surenchère et l'extravagance.

• William Beckford et Jan Potocki

Ce n'est donc pas un hasard si deux des principaux romanciers de littérature frénétique de langue française sont étrangers. William Beckford renoue dans *Vathek* avec la mode de l'orientalisme, mais y greffe des épisodes noirs : un pacte signé avec le diable, une descente aux enfers.

Jan Potocki (1761-1815) écrit, en 1813, *Manuscrit trouvé à Saragosse*. Cette œuvre, redécouverte au XXe siècle par R. Caillois, présente une véritable « organisation fantastique » qui annonce une sensibilité romantique.

Le fantastique romantique émane du roman noir, dont il affine et épure les procédés et les thèmes. Il en retient avant tout la place accordée au surnaturel et le goût pour le démoniaque.

• Hoffmann : l'initiateur allemand

L'éclosion véritable du fantastique français reçoit son impulsion décisive de l'œuvre d'Hoffmann (1776-1822). Ses *Contes* (1814), découverts en France vers 1830, provoquent l'engouement des romantiques français. L'auteur allemand fut largement imité par Nodier, Balzac, Nerval et surtout Gautier.

Le conte fantastique connaît une véritable explosion en France dans les années trente. Il devient un genre littéraire obligé. Presque tous les grands auteurs s'y adonnent sans lui accorder la primauté dans leur œuvre. Le genre voit naître ses premiers chefs-d'œuvre.

CHARLES NODIER (1780-1844) : LE PRÉCURSEUR DU FANTASTIQUE

Nerveux, exalté, dépressif, épileptique, opiomane, Nodier inaugure une longue série d'écrivains à la sensibilité exacerbée. Son œuvre doit beaucoup à l'auteur du *Diable amoureux*. Comme chez Cazotte, le fantastique est encore imprégné de merveilleux. Ses personnages sont des lutins (*Trilby*, 1822), des mauvais esprits (*Le grimoire*, 1832), des fées (*La fée aux miettes*, 1832). Le monde bénéfique du merveilleux côtoie l'univers incertain et inquiétant du fantastique. *Smarra* (1821), *Infernalia* (1822), *Inès de Las Sierras* (1837), *Lydie* (1839) mettent en scène des êtres diaboliques. Le merveilleux traditionnel est peu à peu abandonné au profit d'un univers à la lisière du rêve et de la réalité.

• La fée aux miettes *(1832)*

Le héros de *La fée aux miettes*, Michel, raconte sa vie au narrateur. Très jeune, il s'est attaché à une vieille mendiante, surnommée la Fée aux miettes, et qui se targue d'être aussi Belkiss, reine de Saba. Elle lui déclare son amour et lui fait promettre qu'il l'épousera dans deux ans. La fée disparaît. Michel se retrouve un beau jour à Greenock, ville natale de la fée. Un soir, il partage son lit avec un homme à tête de chien danois. La nuit se transforme bientôt en cauchemar : la chambre est visitée par un monstre à quatre têtes qui semble s'intéresser au portefeuille de son voisin ! Terrorisé, Michel frappe à l'aveuglette avec son poignard. Le lendemain, on retrouve l'homme blessé. Michel, suspecté du crime, est sauvé par la fée qui l'emmène dans sa demeure de rêve. Mais pour épouser sa bien-aimée, Michel doit trouver une plante merveilleuse « la mandragore qui chante ». Après un séjour dans un asile, le héros disparaît mystérieusement. A-t-il retrouvé sa fée ?

• *L'exaltation du rêve et de la folie*

Le récit de Michel est-il un tissu de délires et d'inventions ou correspond-il à une réalité ? Le conte de Nodier, bien que fortement teinté de merveilleux, ouvre les voies de l'ambiguïté propre au vrai fantastique.

Nodier inaugure aussi le thème à la fois romantique et fantastique de l'incursion du rêve dans le réel. L'interpénétration des états de veille et de sommeil revient comme un leitmotiv dans *La fée aux miettes*. Michel déclare : « Mes impressions de la veille et du sommeil se sont quelquefois confondues. »

Merveilleux, rêve, mystère se fondent dans un roman qui exalte la folie. Nodier s'interroge : « Et qui empêche que cet état indéfinissable de l'esprit, que l'ignorance appelle folie, ne conduise [l'homme] à son tour à la suprême sagesse par quelque route inconnue qui n'est pas encore marquée dans la carte grossière de vos sciences imparfaites ? »

BALZAC (1799-1850) : UN ASPECT MÉCONNU DU MAÎTRE RÉALISTE

On connaît le Balzac de « la Comédie humaine », celui des études de mœurs, le grand maître d'œuvre du réalisme. Pourtant, avant de peindre l'homme en société, Balzac a exploré les relations de l'homme avec l'au-delà, dans une dizaine de contes fantastiques auxquels il faut ajouter trois romans, *La peau de chagrin (1831), Louis Lambert* (1832), et *Séraphîta* (1835).

Le jeune Balzac rêve de pouvoirs gigantesques ; ses personnages fantastiques incarnent ses désirs de puissance et de connaissance absolue. Le diable apparaît dans les contes burlesques tels que *La comédie du diable* et dans le dernier conte fantastique de Balzac, *Melmoth réconcilié*. Dans *L'élixir de longue vie*, Balzac met en scène le désir d'éternité.

• L'élixir de longue vie *(1830)*

L'aventure se passe à Ferrare. Don Juan Belvidéro s'adonne à une de ses orgies coutumières, alors que son père Bartholoméo Belvidéro se meurt. Ils se rend auprès du moribond. Celui-ci lui apprend qu'il possède un élixir de longue vie capable de ressusciter un mort. Il demande à son fils de l'oindre avec l'onguent mais don Juan demeure indifférent. Le vieillard expire en découvrant l'insensibilité de son fils. Don Juan décide cependant d'imbiber un des yeux de son père pour voir si le miracle a lieu : « L'œil s'ouvrit [...] Il voyait un œil plein de vie, un œil d'enfant dans une tête de mort, la lumière y tremblait au milieu d'un jeune fluide [...] Cet œil flamboyant paraissait vouloir s'élancer sur don Juan, et il pensait, accusait, condamnait, menaçait, jugeait, parlait, il criait, il mordait. »

Le fils ingrat écrase l'œil dont il ne supporte pas le regard réprobateur.

Don Juan se livre dès lors à toutes sortes de débauches. Sur ses vieux jours, il épouse une jeune femme pieuse, dona Elvire, qui lui donne un fils, Philippe, aussi pur et bon que son père est noir. Sur son lit de mort, don Juan demande à son tour à son fils de le frotter avec l'élixir. Philippe oint d'abord la tête du cadavre mais il n'a pas plus tôt imbibé le bras droit que celui-ci le saisit vigoureusement ; Philippe effrayé laisse tomber la fiole qui se brise.

En apercevant la tête rajeunie et vivante du mort, tout le monde crie au miracle. Don Juan, comble d'ironie, va être canonisé ! Mais, en pleine cérémonie, il proclame sa fidélité au diable ; sa tête se détache et dévore celle de l'abbé qui officie.

• *Le rêve de toute-puissance*

Les deux scènes de résurrection de *L'élixir de longue vie* font de ce texte un des chefs-d'œuvre de notre littérature fantastique. Il s'agit de fantastique merveilleux : Balzac n'introduit jamais le doute sur le caractère surnaturel des événements[1]. Il s'intéresse davantage à ce que l'élixir symbolise : la lutte de l'homme avec le temps et la mort ; le désir d'égaler Dieu. Bartholoméo comme son fils don Juan veulent échapper à leur simple condition de mortel. « Dieu, c'est moi », déclare Bartholoméo à l'agonie. La possession de l'élixir confère à Don Juan un détachement, une distance face au monde et le rend plus satanique que jamais : « Il se joua de tout. Sa vie était une moquerie qui embrassait hommes, choses, institutions, idées. » Pour Balzac, le fantastique n'est donc pas une fin en soi, mais un moyen d'exprimer les rêves de toute-puissance de l'homme.

GAUTIER (1811-1872) :
« L'IMPASSIBLE » ?

La critique ne retient de Théophile Gautier que le théoricien de l'art pour l'art, l'auteur des *Émaux et camées*, qui préconise l'impassibilité de l'artiste. C'est oublier l'angoisse profonde qui se cache derrière la façade paisible du pur esthète. Ami de Nerval et de Baudelaire, Gautier a vécu les affres du spleen et la nostalgie d'un au-delà.

1. Pour la notion de fantastique merveilleux, voir ci-dessus, page 6.

Prenons-en pour preuve sa fidélité au genre fantastique tout au long de sa vie. De *La cafetière* (1831), qui témoigne de son admiration profonde pour Hoffmann, à *Spirite* (1866), où affleurent les théories illuministes de Swedenborg et l'influence du spiritisme, Gautier a su épouser toutes les tendances du fantastique.

Gautier n'est pas un innovateur du genre. Ses contes abondent en réminiscences et en imitations d'Hoffmann. Comme ce dernier, il adopte souvent la première personne du singulier et aime les détails pittoresques.

Il lui revient cependant d'avoir parachevé et épuré la technique du conte fantastique moderne. Il excelle en effet à maintenir l'ambiguïté jusqu'au bout du récit et à retarder l'effet de surprise final. Il se définissait lui-même comme faisant « profession de conteur fantastique ».

Ses contes comportent les thèmes les plus divers : le portrait animé *(Omphale, La cafetière)*, le double[1] *(Un acteur pour deux rôles, Le chevalier double)*, l'échange des âmes *(Avatar)* et le vampire *(La morte amoureuse)*. Plusieurs histoires racontent un amour impossible *(Arria Marcella, Jettatura, La morte amoureuse[2], Spirite)* entre un vivant et un fantôme. Les héros amoureux n'y connaissent la plénitude qu'en songe, dans l'univers illusoire du fantastique.

MÉRIMÉE (1803-1870) : LE TECHNICIEN DU FANTASTIQUE

Le fantastique n'abonde pas dans l'œuvre de Mérimée. On le rencontre dans *La chronique du règne de Charles XI* (1829), *Les âmes du Purgatoire* (1834), *La Vénus d'Ille* (1837), *Lokis* (1868) et *Djoumâne* (texte posthume publié en 1873). Mais pour être réduite, la production fantastique de Mérimée n'en est pas moins une des meilleures du genre.

---

1. Cf. plus loin, page 66 et suivantes.
2. Pour un résumé complet de *La morte amoureuse* et une analyse de ce conte, nous renvoyons aux pages 60-61.

Homme de rigueur et de mesure, Mérimée aborde les rives du fantastique en homme incrédule qui n'accorde aucune foi au surnaturel. C'est la technique du genre qui l'attire avant tout et dont il livre les « recettes » dans son *Essai sur Gogol* : « On sait la recette d'un bon conte fantastique : commencez par des portraits bien arrêtés de personnages bizarres, mais possibles ; donnez à leurs traits la réalité la plus minutieuse. Du bizarre au merveilleux, la transition est insensible, et le lecteur se trouve en plein fantastique avant qu'il se soit aperçu que le monde est loin derrière lui. » Mérimée cherche à ébranler les certitudes du lecteur, à éveiller une émotion forte et intense, le temps d'un conte. Pour ce faire, il accorde un soin tout particulier à l'organisation dramatique de ses récits et à l'art du détail précis et réaliste propre à rendre le lecteur plus crédule. Cf. nos résumés et analyses de *La Vénus d'Ille* (page 9) et de *Lokis* (page 70).

NERVAL (1808-1855) : LA VIE ENVAHIE PAR LE FANTASTIQUE

• *Du fantastique imaginé au fantastique vécu*

Passionné de littérature allemande, le jeune Nerval traduit le *Faust* de Goethe et voue une admiration sans bornes à Hoffmann. Après une jeunesse romantique et assez insouciante, où il publie dans un style humoristique des contes fantastiques imités d'Hoffmann (*La main de gloire* en 1832, *Le portrait du diable* en 1839), Nerval traverse sa première crise mentale en 1841. Son amour malheureux pour l'actrice Jenny Colon y contribue fortement. La mort de la jeune femme en 1842 permet à Nerval de s'approprier son souvenir : il fait de Jenny Colon l'incarnation de son idéal féminin.

Peu à peu, le thème de la femme idéale, guide mystique et intercesseur entre la vie terrestre et l'au-delà, devient une véritable obsession. Un voyage en Orient, effectué en 1843, confirme Nerval dans sa foi en la réincarnation.

En 1851, le poète est atteint d'une nouvelle crise de démence. Il vit dès lors hanté par ses idées mystiques. Il se sent coupable d'une faute, dont seule l'intervention d'une femme pourrait le laver. Conscient qu'il lui reste peu de moments à vivre, Nerval ne cesse de s'observer et tente de consigner son expérience du rêve et de la folie.

Les œuvres qui émanent de cette expérience, *Les filles du feu, Aurélia, Pandora*, n'ont plus rien de commun avec les premiers contes de jeunesse. Elles rendent compte d'un itinéraire spirituel tourmenté, ce que Nerval appelle lui-même dans *Aurélia* une « descente aux enfers ».

• Aurélia, « l'épanchement du songe dans la vie réelle »

Aurélia n'est pas un conte fantastique à proprement parler, c'est le récit d'une « aventure spirituelle qui se déroule sans cesse aux confins du rêve et de la vie »[1]. Le lecteur passe sans transition du réel au songe. Nerval mêle les événements majeurs de son existence et ses visions, ses hallucinations. Mais derrière les récits de rêve, les confidences, les professions de foi mystiques, se dessine la quête de la paix intérieure, et de la femme idéale, Aurélia.

L'originalité d'*Aurélia* réside dans cette fusion proprement fantastique du rêve et de la réalité et dans la conception tout à fait neuve assignée au rêve. Pour Nerval, le songe nous livre les clefs de la réalité et de notre existence. Il nous relie aux êtres du passé et nous met en contact avec l'invisible : « Le rêve est une seconde vie. Je n'ai pu percer sans frémir ces portes d'ivoire ou de corne qui nous séparent du monde invisible. » Nerval entreprend l'exploration du rêve, qu'il ne veut pas subir mais diriger : « Je résolus de fixer le rêve et d'en connaître le secret. » Nerval a conscience de la menace que représente cette confusion entre rêve et réalité ; elle est pourtant le seul moyen pour lui de retrouver l'unité perdue.

---

1. Selon l'expression de Georges Castex dans *Le conte fantastique en France*, Éditions J. Corti, 1951, page 309.

4 Après 1850 : le nouveau visage du fantastique

LE RENOUVEAU

• *La découverte d'Edgar Poe*

Sous l'influence d'Edgar Poe, le fantastique français s'oriente vers un autre type d'écriture. C'est en 1856 que paraît la traduction par Baudelaire des *Histoires extraordinaires*, traduction magistrale qui contribue fortement au succès de l'écrivain américain.

Personnage obsédé par la mort et incompris de son vivant, Edgar Poe se réfugie dans l'alcoolisme et dans l'opium. Doué d'une sensibilité maladive, il compense ses obsessions par une hyperactivité de l'esprit et par le culte de la logique. Les nouvelles fantastiques de Poe sont toutefois dominées par la peur, l'angoisse et la mort, seules réponses possibles face à un monde déréglé, où raison et folie se côtoient sans cesse.

Les conteurs français ont admiré avant tout en Poe sa technique rigoureuse du conte, qui évite les digressions et ordonne inventions et délires en vue de rendre le récit le plus efficace possible. Contrairement à Hoffmann, Poe accorde peu d'importance au décor et à la réalité extérieure. Il s'intéresse davantage aux comportements humains. Des auteurs comme Maupassant et Villiers de L'Isle-Adam s'en souviendront.

• *Les progrès de la science*

Les années 1850 voient triompher les théories du positivisme, telles qu'un Auguste Comte ou un Renan peuvent les professer. La science doit désormais remplacer la religion. Le monde est régi par des lois dont le savant est en mesure d'apprendre à énoncer les formules. L'univers à plus ou moins long terme sera entièrement intelligible ; selon bien des savants, un avenir de progrès s'ouvre à l'humanité, progrès qui doit la conduire au bonheur.

Mais l'univers, à la lumière des nouvelles connaissances, apparaît aux yeux de certains encore plus complexe et plus mystérieux. Les conteurs fantastiques s'emparent des notions encore mal dégrossies par les savants et laissent aller leur imagination. Loin de brimer l'imaginaire, la science le stimule et le renouvelle.

• *Le regain de l'occultisme et du spiritisme*

Les conquêtes scientifiques ne progressent pas assez vite pour discréditer entièrement magiciens et occultistes. Ces derniers feignent de revêtir le sérieux des savants et prétendent à une connaissance universelle. Deux figures dominent la deuxième moitié du siècle : celles d'**Allan Kardec** et d'**Éliphas Lévi**. Contrairement aux illuministes du XVIIIᵉ siècle, É. Lévi et A. Kardec ne sont pas jaloux de leur savoir ; ils publient des ouvrages destinés au grand public et exercent une influence vaste et durable.

Allan Kardec apparaît avec son ouvrage *Le livre des esprits* (1857) comme le fondateur du spiritisme. Il affirme la possibilité d'entrer en relation avec l'univers spirituel grâce à ce qu'il appelle un médium, objet ou être humain. Il prétend fournir à ses adeptes des moyens simples pour établir des contacts avec les esprits.

Éliphas Lévi se présente comme un mage ; il s'intéresse à tous les phénomènes surnaturels et tente de faire la synthèse des diverses branches de l'occultisme (l'alchimie, la cabale, la magie, les arts divinatoires, le magnétisme, la nécromancie[1], etc.). Dans ses ouvrages, *Histoire de la magie* (1860) et *Dogme et rituel de la haute magie* (1861), Lévi cherche à concilier magie, science et religion. Il propose ainsi à l'imagination fantastique d'autres voies d'accès au mystère universel.

• *Un nouveau fantastique*

Toutes ces causes (influence de Poe, avancée de la science, mode de l'occultisme et du spiritisme) donnent à la littérature fantastique du XIXᵉ siècle un second souffle.

Le public est las des histoires de vampires et de fantômes, qui ne trouvent pas d'explications. Sous l'influence du positivisme, il réclame plus de vraisemblance et de cohérence. Les écrivains tentent donc de rendre leurs histoires plus acceptables. Ils inventent des instruments scientifiques, ouvrant ainsi la voie à un nouveau genre, la science-fiction.

Sous l'influence des progrès de la psychiatrie, les conteurs introduisent davantage de cas pathologiques dans leurs récits. Le fantastique peut alors trouver une explication psychologique. Maupassant excelle dans la présentation des troubles de la personnalité.

De nombreux récits portent la marque des données de la magie moderne et du spiritisme. Parmi les grands auteurs, Maupassant et Villiers de L'Isle-Adam sacrifient ou succombent à ces nouvelles croyances.

VILLIERS DE L'ISLE-ADAM (1838-1889) : LE REFUS DU PRÉSENT

Écrivain longtemps tenu pour inclassable et de second ordre, Villiers de L'Isle-Adam apparaît aux yeux de certains comme un romantique attardé. Fils de vieille noblesse provinciale, royaliste fervent défenseur de

---

1. Science occulte qui prétend évoquer les morts.

l'Ancien Régime, Villiers condamne en bloc l'idéologie bourgeoise, républicaine et démocratique. Chrétien par tradition, il est fortement attiré par le mystère et le surnaturel. Il s'intéresse en particulier à l'occultisme, afin de trouver les preuves de l'immortalité de l'âme. Grand admirateur de Baudelaire, il partage avec lui la haine de la réalité, l'ironie désespérée et le sentiment de l'exil.

Villiers est connu pour ses *Contes cruels* qui paraissent en 1883. « Cruel » chez Villiers signifie moins « noir », « terrible », que « méchamment ironique ». On peut distinguer en effet deux tendances dans l'œuvre de Villiers : une tendance poétique et lyrique et une veine ironique et satirique. Celle-ci domine dans les *Contes cruels*, où Villiers se plaît à railler l'esprit terre à terre du bourgeois. Le recueil compte cependant deux chefs-d'œuvre du genre fantastique, *Véra*[1] et *L'intersigne*[2].

Villiers considère le fantastique comme une arme dans son offensive contre les certitudes rationalistes et l'indifférence d'un siècle entiché de scientisme. Il s'agit donc d'éveiller le trouble dans les âmes sceptiques et de les disposer ainsi à la réflexion.

• **Véra** : *fantastique et poésie*

Dans *Véra*, le comte d'Athol refuse la mort de sa bien-aimée et décide de vivre comme si elle partageait son existence. Peu à peu il parvient à entrer en communication avec elle.

Si *Véra* atteste l'influence d'Edgar Poe - l'héroïne ressemble aux mortes du conteur américain, Ligeia, Morella, qui ne veulent pas mourir - l'originalité du conte réside dans la beauté et la poésie de son écriture. Villiers opère le glissement du réel à l'irréel grâce à une prose musicale qui sonne comme une incantation. Le soir de l'apparition de Véra, la chaleur inhabituelle des objets semble annoncer le prodige :

---

1. Voir résumé et analyse, ci-dessous.
2. Voir résumé et analyse, pages 42-43.

« Ce soir l'opale brillait comme si elle venait d'être quittée et comme si le magnétisme exquis de la belle morte la pénétrait encore. En reposant le collier et la pierre précieuse, le comte toucha par hasard le mouchoir de batiste dont les gouttes de sang étaient humides et rouges comme des œillets sur la neige ! [...] La douce morte, là-bas, avait tressailli certes, dans ses violettes, sous les lampes éteintes ; la divine morte avait frémi, dans le caveau, toute seule, en regardant la clef d'argent jetée sur les dalles. Elle voulait s'en venir vers lui, aussi ! [...] Et le son passé des mélodies, les paroles enivrées de jadis, les étoffes qui couvraient son corps et en gardaient le parfum, ces pierreries magiques qui la *voulaient*, dans leur obscure sympathie - et surtout l'immense et absolue impression de sa présence, opinion partagée à la fin par les choses elles-mêmes - tout l'appelait là, l'attirait là depuis si longtemps, et si insensiblement, que, guérie enfin de la dormante Mort, il ne manquait plus qu'*Elle seule* ! » »

Villiers nous fait accepter le retour de la morte en nous envoûtant par la magie de son verbe : on perçoit dans un tel passage le soin apporté au rythme des phrases, rythme binaire le plus souvent (« comme si » deux fois ; « la douce morte », « la divine morte », « l'appelait là, l'attirait là » ; « si longtemps et si insensiblement »). Les sonorités sont travaillées comme dans un poème ; écoutons l'assonance en [a] : « le comte toucha par hasard le mouchoir de batiste » ; et en [e/E] : « l'opale brillait comme si elle venait d'être quittée ». Les deux sons voyelles du prénom de Véra reviennent sans cesse. Le texte porte la présence de la morte comme les objets de la chambre qu'il décrit. La longueur de la dernière phrase restitue la tension de l'attente et de la volonté du comte d'Athol. Métaphores[1] et comparaisons plongent le décor dans l'irréalité propices à l'atmosphère fantastique.

De telles pages élèvent le conte fantastique au rang d'œuvre d'art et atteignent le but fixé par Villiers à la littérature : éveiller « des impressions intenses, inconnues et sublimes ».

---

1. Une métaphore est une comparaison sous-entendue : C'est un lion ! (Cet homme est courageux comme un lion.)

MAUPASSANT (1850-1893) :
LA FOLIE AU CŒUR DU FANTASTIQUE

La folie est au centre de l'œuvre de Maupassant comme elle marque sa vie. Sa mère et son frère souffraient de troubles mentaux. Lui-même finira sa vie interné dans une maison psychiatrique. Au début du conte *Madame Hermet*, Maupassant avoue son attirance pour les fous : « Les fous m'attirent. [...] Pour eux l'impossible n'existe plus, l'invraisemblable disparaît, le féerique devient constant et le surnaturel familier. »

Les contes fantastiques de Maupassant mettent en scène des héros lucides mais qui traversent des périodes d'angoisses inexplicables, où la raison est impuissante. Ces états morbides se signalent toujours par le même symptôme, la peur. Deux nouvelles portent le titre *La peur* [1]. *Lui* [2], *L'auberge, La petite Roque, Le Horlà* [3] décrivent des héros en proie à des obsessions qui les conduisent au crime, au suicide ou à la démence. Les personnages luttent en vain contre l'irrationnel qui les envahit. Le fantastique naît de ce conflit permanent dont l'issue se révèle presque toujours tragique.

LAUTRÉAMONT (1846-1870) : LE MAUDIT

Une place à part doit être accordée à Lautréamont, qui ne relève d'aucune mode et d'aucun courant. *Les chants de Maldoror* (1869) ne font aucune concession à la logique. Leur héros participe à la fois de la bête, du démon et de l'homme. Les plus extravagantes inventions sont portées par une écriture poétique, radicalement neuve, qui fera les délices des surréalistes au siècle suivant.

---

1. Voir résumé de *La peur*, pages 56-57.
2. Voir résumé et analyse, page 68.
3. Voir résumé et analyse, pages 47, 50 et 69.

5 Le XXᵉ siècle les métamorphoses du fantastique

LES CAUSES D'UNE ÉVOLUTION

La littérature véhicule toujours les préoccupations de son époque. Le fantastique ne sort pas indemne des grands bouleversements qui marquent le XXᵉ siècle. Certains événements sont plus particulièrement à l'origine de ses métamorphoses.

• Le surréalisme

Le surréalisme, officiellement fondé en 1924 par Breton, exalte les pouvoirs de l'imagination, combat pour la promotion d'un homme nouveau, libéré d'une logique asservissante et des contraintes culturelles, religieuses et sociales. La poésie, et plus précisément l'écriture automatique, doivent donner libre cours à l'inconscient et aux désirs.

On comprend, à partir de ces prémices, que les surréalistes se soient élu de nombreux précurseurs parmi les écrivains fantastiques et frénétiques. Ils ont redécouvert Nerval et vouent un culte à Lautréamont. Les surréalistes, en explorant les richesses de l'inconscient, ont ainsi fortement contribué au renouveau fantastique.

Le fantastique subit l'influence marquée des littératures étrangères. Au seuil de la communication interplanétaire, les frontières s'estompent.

- *Le fantastique anglo-saxon*

Deux auteurs, inconnus de leur vivant, dominent la littérature fantastique anglo-saxonne : **Henry James** (1843-1916) et **Lovecraft** (1890-1937).

Henry James fut remarqué et admiré par Proust. Il apparaît comme un des fondateurs du roman moderne. Dans ses récits fantastiques, *Le tour d'écrou* (1898), *Le coin plaisant* (1908), l'accent est mis sur l'expérience des personnages et sur leur perception de la réalité. L'histoire est racontée à travers leur vision. Pour Henry James, il n'y a pas une vérité, une réalité objective, mais une réalité que chacun construit à partir de ses propres perceptions et de son imagination. Idée moderne, qui entraîne une nouvelle manière d'écrire le fantastique.

Avec H.P. Lovecraft, c'est le fantastique d'épouvante qui se poursuit dans le sillage de Poe. Lovecraft invente un monde inquiétant, lugubre, où apparaissent des divinités monstrueuses, grouillant et rampant dans des souterrains terrifiants, des maisons vides et maléfiques. C'est le fantastique de l'abomination, de l'horreur indicible, veine peu fréquentée, il est vrai, par les auteurs français.

- *Franz Kafka, le fantastique absurde (1883-1924)*

Avec Kafka, le fantastique n'a plus besoin de vampires et de fantômes pour exprimer l'irrationnel. Celui-ci s'infiltre dans notre existence quotidienne et la dévore progressivement.

Dans *Le procès*, un homme, Joseph K, modeste employé de banque, est accusé d'une faute qu'il ne connaît pas. Il tient à se défendre mais il sent tout son univers quotidien peu à peu se dérober à lui. Il en vient à se sentir coupable et accepte sans résistance son exécution finale.

31

Il s'agit ici d'un fantastique qu'on peut qualifier d'absurde : les personnages sont prisonniers de mécanismes qui les dépassent et les écrasent. Kafka décrit cet univers cauchemardesque avec la plus grande précision afin de mieux en dégager l'absurdité. L'univers entier, banal à première vue, obéit à une logique implacable. Les personnages ne se révoltent même pas. Ils se résignent et bientôt l'absurde leur semble naturel, nécessaire.

La découverte de Kafka en France, après la Deuxième Guerre mondiale, a pris la forme d'une véritable révélation. Son œuvre est une des clefs de la littérature du XXᵉ siècle. Il a inventé un nouveau fantastique, expression de la condition humaine, telle que l'homme du siècle nucléaire peut la ressentir. L'univers est déserté par Dieu ; la Ville, l'Administration, la Justice broient l'individu sans qu'il puisse se défendre. La menace n'émane plus de l'au-delà, elle habite notre monde, et tout particulièrement les systèmes totalitaires.

- Les écrivains sud-américains

Parmi les grands auteurs fantastiques étrangers, il faut compter les écrivains sud-américains, en particulier **Jorge Luis Borges** et **Julio Cortazar**. Borges, né en 1899, est à la fois poète, essayiste et conteur. Il s'intéresse à l'écriture plus qu'à l'univers qu'il met en place. Ses contes et nouvelles, *Fictions* (1944), *L'Aleph* (1949), relèvent de l'absurde. Le fantastique borgésien est dépouillé et abstrait ; il se prête à une interprétation symbolique ; ses contes sont à déchiffrer à travers une écriture ironique et philosophique qui aime tendre des pièges au lecteur.

• L'empire des sciences physiques

Le XXᵉ siècle voit les grands rêves de l'homme se réaliser : conquérir l'espace, percer certains mystères de la matière et de la vie. Les progrès de la biologie interdisent désormais de divaguer sur les frontières entre la vie et la mort, l'âme et le corps. La science dépasse même ce que l'homme peut imaginer. Elle règne sur les esprits, les fascine et les inquiète. Son empire a fait dériver le fantastique vers un genre nouveau, la science-fiction[1].

• L'essor des sciences humaines

On entend par sciences humaines les sciences qui se donnent pour objet d'étude l'homme en tant qu'individu et être social. Parmi elles, la psychanalyse, fondée par Freud à la fin du XIXᵉ siècle, provoque une véritable révolution intellectuelle. Freud s'est beaucoup intéressé à la littérature fantastique. Pour lui, elle suscite en nous « l'inquiétante étrangeté », malaise dû à des complexes infantiles refoulés, réveillés par certains récits. La plupart des thèmes du fantastique prennent racine, selon lui, dans les profondeurs de notre inconscient.

Les sciences humaines dans leur ensemble promeuvent une nouvelle conception de l'homme. Ce dernier apparaît pour certains auteurs comme le produit de déterminismes psychologiques, sociologiques et économiques. L'homme y gagne ainsi en complexité, mais il y perd son unité et sa cohérence. Comment se reconnaître dans l'image morcelée de nous-mêmes que renvoient ces sciences ? Elles sont sources de nouvelles angoisses, d'une prise de conscience de la faible part de liberté qui nous reste dans la conduite de notre vie. C'est la porte ouverte au fantastique kafkaïen.

LES TENDANCES DU FANTASTIQUE
AU XXᵉ SIÈCLE

• L'empreinte du folklore

Au XXᵉ siècle, on assiste à la disparition de la civilisation agraire et de ses traditions. Écrivains et chanteurs se soucient de recueillir contes, légendes et folklore de nos

---

1. Nous renvoyons au chapitre de définition pour ce qui est de la distinction entre fantastique et science-fiction (cf. page 8).

campagnes. Ainsi, **Claude Seignolle** écrit une œuvre fantastique (*Marie la louve*, 1949 ; *Le gâloup, Les évangiles du diable*, 1964 ; *Histoires vénéneuses*, 1970) qui puise sa matière dans des contes populaires recueillis dans plusieurs provinces. Les récits de Seignolle privilégient la Sologne, où les thèmes liés au diable et à la métamorphose revivent dans un décor rustique.

• *La marque du surréalisme*

Certains auteurs ont su acclimater leur expérience surréaliste dans des récits à couleur fantastique.

- *André Pieyre de Mandiargues*

André Pieyre de Mandiargues a publié d'authentiques recueils fantastiques : *Le musée noir* (1946), *Soleil des loups* (1951), *Feu de braise* (1959), *Marbre* (1953), *Sous la lame* (1976). Il rencontre Breton en 1947 et s'initie alors au surréalisme. Mandiargues partage avec le surréalisme le goût pour les climats où rêve et réalité sont inextricablement liés. Comme les disciples de Breton, il admire des auteurs tels que Barbey d'Aurevilly, Villiers de L'Isle-Adam et Sade. Les récits fantastiques de Mandiargues mêlent érotisme, cruauté et étrangeté qui vire parfois au saugrenu. Sa prose extrêmement travaillée fait surgir force métaphores et comparaisons, signes d'une exploration des fonds obscurs de notre inconscient.

- *Julien Gracq*

Julien Gracq, quant à lui, est souvent considéré comme le grand réconciliateur entre roman et surréalisme. Avec lui, le roman ne repose plus sur l'action et la représentation illusoire de la réalité. Il est fondé sur l'écriture elle-même, qui crée une atmosphère surréelle, hors du temps. Les romans de Gracq, tels que *Au château d'Argol* (1938) ou *Le rivage des Syrtes* (1951), restituent le climat des romans noirs, mais dépouillés de leurs excès et de leur bric-à-brac infernal et surnaturel.

Les personnages de Gracq vivent dans un univers mystérieux et grave, marqué par l'attente de quelque chose
d'indéfinissable. Des châteaux froids et déserts, des
canaux immobiles, des plages solitaires placent l'homme
face à un destin sans visage. En inventant ainsi le roman
surréaliste, Gracq crée un nouveau fantastique qui ne
cherche plus à être vraisemblable. Les descriptions ne
plantent pas un décor mais soulignent la vie étrange des
objets ; les sentiments font place aux grandes forces sou-
terraines du désir et de la mort ; l'écriture réaliste disparaît au profit d'une profusion d'images qui nimbent l'histoire de merveilleux et de poésie.

Le rivage des Syrtes se déroule dans une Venise imaginaire
nommée Orsenna, ville morte cernée de marécages. Orsenna
vit depuis trois siècles dans la torpeur, bien qu'elle soit en
principe en guerre contre son ennemi héréditaire, le Farghes-
tan. Ce dernier est situé sur l'autre rive de la mer des Syrtes.
Parti en patrouille de routine à bord du navire « Redouta-
ble », Aldo, le héros narrateur poussé par une impulsion irré-
sistible, décide de s'avancer vers la côte ennemie. L'atmosphère s'alourdit, les personnages se sentent entraînés dans
l'irréversible.
   Le navire s'approche dangereusement des côtes ennemies
et reçoit trois coups de canon. Cet incident suffit à déclen-
cher une guerre dont le lecteur ne perçoit que quelques indices. Le roman s'achève sur la proclamation de l'état de siège
et l'anéantissement probable d'Orsenna.

• *Un fantastique adouci : le récit insolite*

Cette tendance regroupe les auteurs qui enlèvent au fantastique toute la charge de rupture et de désordre qu'il
renferme à l'origine. Avec eux, la peur est remplacée par
le trouble ; l'irruption brutale et menaçante du surnaturel cède la place aux incidents anodins de la vie quotidienne. Les tenants du fantastique insolite avantagent la
rêverie au détriment du rêve. Avec eux, le fantastique
s'oriente vers le merveilleux et se teinte parfois de ten-
dresse comme chez Supervielle.
   Jules Supervielle (1884-1960) est à la fois poète, nou-
velliste et romancier. L'univers étrange de son œuvre est

peuplé de métamorphoses inquiétantes et de paysages irréels.

> *L'enfant de la haute mer* (1931), chef-d'œuvre du nouveau fantastique, décrit la vie solitaire et monotone d'une fillette de douze ans dans une ville flottante à la surface de l'Atlantique. Le village marin disparaît à chaque approche des navires, vouant ainsi l'enfant à la solitude. La fillette vit dans l'attente d'un signe amical, d'une compagnie. Elle passe son temps à errer dans les rues du village, à feuilleter un vieil album de photographies, des livres scolaires, signes d'un autre monde, auquel elle n'a pas droit. Le temps est immobile, la fillette s'ennuie. Elle crie en vain « au secours » aux cargos qui approchent et une vague s'emploie sans espoir à l'enrouler dans son creux. Qui est cette enfant ? La fin du conte révèle qu'elle est née du cerveau de son père, un matelot, un jour où il pensait longuement à sa fille défunte, sur le pont de son navire, au milieu de l'immense Océan.

La peur, dans ce conte étonnant, fait place à une douce mélancolie. Le village flottant ressemble à tous les villages avec ses maisons, son école, son église. Mais la solitude et la détresse de la fillette le rendent insolite et tragique.

LE FANTASTIQUE AUJOURD'HUI EN FRANCE : VITALITÉ ET DIVERSITÉ

Le fantastique, à travers ses métamorphoses, reste un genre vivant. Un des grands novateurs français du fantastique, **Noël Devaulx**, né en 1905, publiait en mars 1983 son dernier recueil de contes fantastiques, *Le vase de Gurgan*. Le fantastique de Noël Devaulx rompt avec celui des écrivains nourris de surréalisme. Chez lui, le contenu comme l'écriture frappent par leur simplicité, leur sobriété et l'économie des moyens. L'atmosphère inédite de ses recueils de contes, *Le pressoir mystique* (1948), *La dame de Murcie* (1961), *Le lézard d'immortalité* (1977), n'en est pas moins porteuse d'une angoisse diffuse.

Nous ne pouvons que conclure sur la diversité des visages qu'a pris la littérature fantastique au XXe siècle. Quels points communs discerner dans un genre devenu aussi bigarré ? Nous en voyons trois principaux.

• *La part réduite du surnaturel*

Il semble que les auteurs tendent à évacuer le surnaturel. Il a disparu ou s'est atténué au profit d'une vision poétique et/ou surréaliste du quotidien. Ce n'est plus le monde surnaturel qui fait intrusion dans le monde naturel ; c'est ce dernier qui prend un aspect ambigu, insolite. La déroute des certitudes ne provient plus d'un ailleurs ou d'un au-delà ; elle émane du réel lui-même.

• *L'univers personnel de l'écrivain*

L'écrivain du XXe siècle ne croit plus en une réalité immuable et ferme ni en un au-delà à révéler. Il ne craint pas de présenter son univers fantastique comme le fruit de sa propre imagination et de son écriture.

• *La dérive vers d'autres genres*

Le fantastique de Cazotte et de Maupassant a bel et bien disparu ; il a dévié vers la science-fiction, l'insolite, l'onirisme et un genre récent bien connu des cinéphiles, l'*heroic fantasy*[1]. Il se fond dans une vaste littérature de l'irrationnel dont notre siècle scientifique a plus que jamais besoin.

---

1. L'*heroic fantasy* est représenté en littérature par des auteurs comme **Tolkien** *(Le seigneur des anneaux)* et au cinéma par des films qui font revivre les origines de l'humanité *(Dark crystal, Conan le barbare).*

6

La composition du récit fantastique

Les œuvres du fantastique sont en général de longueur assez réduite ; il s'agit le plus souvent de contes et de nouvelles. Ces deux genres tendent d'ailleurs à se confondre à partir du XIXe siècle. Ainsi, Maupassant ne craint pas d'appeler sa première version du *Horlà* « conte » et la deuxième « nouvelle ».

Pourquoi ce choix de la brièveté ? Pour mieux atteindre le lecteur. Le récit fantastique est régi par le principe d'efficacité. Trop de détails, de digressions détruiraient l'effet de surprise et de soudaineté, et rendraient plus difficile l'ambiguïté recherchée. La concision permet une concentration des effets. Le récit ne dure que le temps d'un frisson minutieusement préparé.

L'AMORCE DU RÉCIT FANTASTIQUE

• *L'entrée directe dans l'histoire*

Entraîner dès le départ le lecteur dans l'action constitue un des débuts les plus traditionnels du récit fantastique. Nous pénétrons au cœur de l'action, comme si les personnages existaient en dehors de nous et nous sommes plongés d'emblée dans leur existence.

Mérimée choisit un incipit[1] de ce genre dans *La Vénus d'Ille* : « Je descendais le dernier coteau du Canigou et, bien que le soleil fût déjà couché, je distinguais dans la plaine les maisons de la petite ville d'Ille, vers laquelle je me dirigeais. » Le narrateur ne s'embarrasse pas ici de précautions oratoires ; les lieux du drame sont à peine esquissés. Une telle amorce offre l'avantage de nous placer immédiatement sous le charme de l'illusion romanesque.

• *Le préambule, « pacte de vérité »*

Nombreux sont également les récits fantastiques qui commencent par un préambule, où le narrateur scelle entre lui et le lecteur une sorte de pacte de vérité. Ainsi, le narrateur d'*Inès de Las Sierras* de Charles Nodier (que nous résumons un peu plus loin, page 41) prononce, au début, cette phrase type : « [...] j'ai été témoin de la plus étrange apparition dont il ait jamais été parlé depuis Samuel, mais ce n'est pas un conte, vraiment ! c'est une histoire véritable. » Une telle déclaration a pour fonction de nous préparer à l'histoire insolite qui va suivre tout en devançant l'objection d'invraisemblance ou le risque de suspicion.

De tels préambules sont fréquents dans les contes de Maupassant où le narrateur est en même temps héros de l'histoire. Le narrateur de *Qui sait ?*[2] exprime au départ à la fois sa surprise, son désarroi et sa certitude face à l'expérience qu'il a traversée : « Mon Dieu ! Mon Dieu ! Je vais donc écrire enfin ce qui m'est arrivé ! Mais le pourrai-je ? L'oserai-je ? Cela est si bizarre, si inexplicable, si incompréhensible, si fou ! » Une telle amorce pique notre curiosité, satisfait notre besoin d'authenticité et réveille notre vigilance de lecteur.

1. L'incipit est la première phrase d'un récit ; *incipere* en latin signifie « commencer ».
2. Voir résumé, page 71.

LA COURBE DRAMATIQUE
DU RÉCIT FANTASTIQUE

• *La composition en gradation*

Certains critiques considèrent la composition en gradation comme la structure la plus fréquente du récit fantastique. Elle obéit à une règle de progression ascendante :
le récit, après avoir posé les jalons successifs, s'achève au
point culminant de l'histoire, au moment de l'irruption
de l'insolite, de l'émergence de l'inexplicable. *Véra* de Villiers de L'Isle-Adam, *La Vénus d'Ille* de Mérimée répon-
dent à ce modèle. Une nouvelle du XXᵉ siècle, *Mina la
chatte*, de **Jacques Yonnet**, sélectionnée par Roger Caillois dans son *Anthologie*[1], nous paraît exemplaire.

> Cette nouvelle raconte l'histoire d'une jeune femme, surnom-
> mée Mina la chatte en raison de sa passion pour les chats.
> Un jour, elle recueille un « affreux matou, pelé, roux et bor-
> gne ». Ce chat disparaît après qu'elle l'a guéri. Apparaît alors
> dans la vie de la jeune femme un homme, nommé Goupil,
> « roux et borgne » également, vivant à ses crochets et mani-
> festant une férocité rare à son égard. Il va jusqu'à noyer et
> manger les chats trouvés par Mina. Un jour, une dispute san-
> glante éclate entre Mina et lui. Le lendemain, en forçant la
> porte, on découvre « une chatte grise, pendue au vasistas.
> Dans ses griffes crispées, il y avait des touffes de poils roux ».
> Goupil et Mina ont disparu ; un voisin « dit avoir aperçu
> une bête jaune - il ne pourrait jurer que ce fût un gros chat
> - s'enfuir par les lucarnes ». Un ami de Mina, qui est en
> même temps le narrateur, fait analyser les poils roux : ils
> proviennent d'un « renard du pays ».

Rien, au départ, ne laisse présumer cette issue tragique.
Mina apparaît, dans le Paris de l'Occupation, comme une
femme certes originale, mais dont la passion n'est pas
étonnante. Mais, peu à peu, l'histoire prend une tournure
inquiétante. L'intrigue progresse en trois étapes dont la

---

1. Roger Caillois, *Anthologie du fantastique*, Éditions Gallimard, 1966, 2 vol.

dernière est fatale. Premier palier : l'entêtement de Mina à s'occuper du matou malade et méchant ; deuxième palier, son assujettissement à Goupil ; dernière phase : la dispute dont l'issue reste inexplicable. S'agit-il d'une métamorphose, d'un cas de réincarnation ? Le texte ne lève pas l'énigme.

• La composition en accent circonflexe

Certains récits fantastiques choisissent de placer l'événement surnaturel inexplicable au cœur de l'histoire : la première partie constitue une montée vers le drame central, la deuxième expose les répercussions et propose parfois des explications possibles. Analysons l'exemple d'*Inès de Las Sierras* de Charles Nodier :

> Lors d'une soirée mondaine, un ancien capitaine de l'armée de Napoléon raconte une histoire de revenants, qui lui est arrivée en Espagne, à l'époque de Noël, en 1812. Le récit se divise en deux parties. Dans la première, le capitaine et deux lieutenants sont amenés à passer le réveillon de Noël au château de Ghismondo, hanté selon la tradition par Inès de Las Sierras, qui le visite chaque année à cette date : elle rappelle ainsi le jour où elle fut assassinée par son époux. Insensibles à toute croyance surnaturelle, nos trois soldats festoient et jouent à se déguiser comme les personnages de la légende. Apparaît alors une femme qui dit être Inès de Las Sierras et chante de manière admirable. Elle disparaît dans les souterrains du château, laissant les trois hommes dans la stupéfaction et le doute. Le capitaine ne peut se résoudre à l'hypothèse du fantôme et prête serment de ne plus jamais parler d'Inès avant que le mystère n'ait été levé. La deuxième partie du texte révèle la vérité : le soir du 24 décembre, ce n'était pas une revenante mais Inès de Las Sierras, en chair et en os, qui se trouvait au château, en proie à une crise de folie. L'aventure du capitaine est donc une simple coïncidence. Le récit quitte le fantastique pour basculer dans l'étrange.

Le point culminant de l'histoire, l'apparition d'Inès, sur laquelle pèse l'hésitation fantastique, se situe au cœur du récit. Le deuxième volet apparaît comme la relecture rationnelle du premier. Le plaisir du lecteur, dans ce type de structure, est moins émotionnel qu'intellectuel.

• La composition en ligne brisée

Cette structure nous semble aussi fréquente que la ligne ascendante du récit en gradation. Dans ce cas, le surnaturel frappe à intervalles plus ou moins réguliers, souvent de plus en plus fort, pour aboutir à la mort ou à la folie du personnage. *La morte amoureuse*[1] de Gautier, *Le Horlà*[2] de Maupassant font intervenir le surnaturel par intermittence. Dans *L'intersigne* de Villiers de L'Isle-Adam, le surnaturel surgit trois fois. Rappelons les faits :

> Lors d'une soirée, le jeune baron Xavier de la V***, « d'une débilité de tempérament et d'une sauvagerie de mœurs peu communes », raconte son séjour étrange auprès d'un prêtre de ses amis, l'abbé Maucombe, en Bretagne. Xavier, en proie à un état dépressif, désire s'aérer de la capitale et se reposer. En arrivant près du presbytère, il est victime d'une hallucination. La façade riante de la maison chavire tout d'un coup.
> « Était-ce bien la maison que j'avais vue tout à l'heure ? Quelle ancienneté me dénonçaient, *maintenant*, les longues lézardes, entre les feuilles pâles ? » La demeure de l'abbé apparaît soudain rongée par l'usure et la mort : « La maison me sembla changée à donner le frisson, et les échos du lugubre coup de marteau [...] retentirent [...] comme les vibrations d'un glas. » Xavier dîne et passe une soirée paisible avec son ami, mais, lorsque le prêtre l'accompagne jusqu'à sa chambre d'hôte, son visage subit une métamorphose analogue à celle de la maison : « Était-ce un agonisant qui se tenait debout, là, près de ce lit ? La figure qui était devant moi, n'était pas, ne pouvait pas être celle du souper ! » Commence alors une nuit agitée pour le héros. Il est réveillé dans son premier sommeil par trois petits coups frappés à sa porte ; « une lueur glacée, sanglante, n'éclairant pas », s'échappe du trou de la serrure et erre sur sa main.

1. Voir résumé, pages 60-61.
2. Voir résumé, pages 47, 50 et 69.

La porte s'ouvre et un prêtre apparaît, un tricorne sur la tête : « Le souffle de l'autre monde enveloppait ce visiteur, son attitude m'oppressait l'âme. [...] Tout à coup, le prêtre éleva le bras, avec lenteur, vers moi. Il me présentait une chose lourde et vague. C'était un manteau. Un grand manteau noir, un manteau de voyage. Il me le tendait comme pour me l'offrir !... » Xavier, paralysé par la peur, ferme la porte et donne un violent tour de clé. Il se persuade qu'il a fait un cauchemar mais la porte a bien été fermée à clé... Le lendemain matin, un courrier de Paris l'oblige à quitter son ami. Le soir, l'abbé tient à l'accompagner sur le chemin du retour. Le temps est à la tempête et Maucombe, comme dans le « rêve », prête à Xavier son manteau noir, avec le même regard fixe du prêtre au tricorne. Une semaine plus tard, Xavier apprend que Maucombe est mort, victime d'un froid contracté le jour de son départ. D'après la bonne, il aurait prononcé ces dernières paroles : « Il était heureux [...] d'être enveloppé à son dernier soupir et enseveli dans ce même manteau qu'il avait rapporté de son pèlerinage en Terre sainte, *et qui avait touché le Tombeau.* »

Comme l'écrit G. Castex, « d'un point de vue dramatique, *L'intersigne* nous apparaît (...) comme l'un des chefs-d'œuvre de la littérature fantastique française ». En effet, la mort s'annonce trois fois avant de frapper et le récit ménage entre elles des temps d'accalmie. Premier présage, la façade agonisante du presbytère ; deuxième signe, le visage morbide de Maucombe ; enfin, le songe au manteau. S'agit-il d'une coïncidence ou d'une preuve de la communication entre l'ici-bas et l'au-delà ? Le récit reste muet, suscitant le doute propre au fantastique. En tout cas, la courbe dramatique est parfaite ; tout dans le texte nous achemine vers le dénouement saisissant.

• *La construction en emboîtement : le récit dans le récit*

Un certain nombre de récits fantastiques, en particulier chez Maupassant, sont des récits dans le récit : ils sont pris en charge par un des personnages qui appartient au premier niveau narratif. Ainsi, *Inès de Las Sierras* de

Nodier, *L'intersigne* de Villiers de L'Isle-Adam, *La main, Magnétisme, Apparition, La peur* de Maupassant sont des récits oraux racontés au cours d'une soirée entre amis. L'histoire fantastique est enchâssée dans un premier récit. Elle prend parfois la forme d'un journal écrit par le héros, le narrateur premier ne jouant alors que le rôle de dépositaire ou de rapporteur du document.

> Dans *La chevelure* de Maupassant, un médecin discute avec le narrateur du cas de folie d'un malade, qui s'est pris d'une passion fétichiste pour une chevelure trouvée dans la boiserie d'un meuble ancien. Le médecin fait lire au narrateur le journal intime du fou, qui raconte comment, un beau jour, la femme, porteuse de cette « énorme natte de cheveux blonds » l'a visité : « Oui, je l'ai eue, tous les jours, toutes les nuits. Elle est revenue, la Morte, la belle Morte, l'Adorable, la Mystérieuse, l'Inconnue, toutes les nuits. »

Ce conte de Maupassant possède donc deux narrateurs : l'auteur qui parle à la première personne et le fou rédacteur de son journal. Le premier narrateur (Maupassant) cède la place au second. Ce procédé du récit enchâssé éloigne l'insolite, le surnaturel et le rend moins inquiétant. Le lecteur accepte d'autant plus facilement une histoire troublante qu'elle est rapportée dans le cadre rassurant d'une soirée mondaine ou d'une enquête médicale. De tels récits s'achèvent sur un retour au monde normal du lecteur. Ils lui permettent de revenir en douceur dans l'univers cohérent et ordonné de sa vie quotidienne.

Les techniques du fantastique

7

PRÉPARER ET APPRIVOISER LE LECTEUR

• *La narration à la première personne*

Il s'agit là d'une constante quasi absolue du récit fantastique pur. L'histoire est racontée à la première personne par celui qui l'a vécue ou par un témoin, souvent proche du héros. Le récit acquiert ainsi la crédibilité et la fiabilité de l'expérience vécue.

Le narrateur du récit fantastique se heurte en effet au paradoxe suivant : comment faire croire une expérience extraordinaire, invraisemblable, unique ? Le narrateur de *La nuit*[1] de Maupassant exprime clairement son désarroi face à une telle difficulté : « Mais comment expliquer ce qui m'arrive ? Comment même faire comprendre que je puisse le raconter ? Je ne sais pas, je ne sais plus, je sais seulement que cela est - voilà. » Tout récit fantastique vit de ce paradoxe de devoir raconter l'indicible. Le choix de la première personne lui confère les prestiges d'un témoignage.

La narration à la première personne facilite également l'identification du lecteur, qui peut se projeter dans le pronom « je » et partager ainsi les angoisses et les interrogations du héros. La première personne est donc un des moyens les plus sûrs de déjouer la méfiance du lecteur et d'emporter son adhésion à la fiction.

1. Voir résumé, pages 48-49.

• *La précision réaliste des repères du temps et de l'espace*

L'émergence du surnaturel et de l'improbable prend d'autant plus de relief qu'elle s'insère dans une temporalité et un espace précis, qui renvoient à notre monde cohérent et « normal ».

Une nouvelle aussi brève que *La main d'écorché* de Maupassant est aussi précise qu'un rapport de police : « J'entrai chez lui, il était environ deux heures », « Au bout d'une heure je le quittai », « vers six heures du matin [...] un coup violent frappé à ma porte... » Le lecteur peut reconstituer presque heure par heure l'emploi du temps du narrateur et la chronologie du drame.

Mina la chatte de Jacques Yonnet ancre son histoire de métamorphose animale dans le Paris populaire de l'Occupation. Mina habite rue Maître-Albert, son vétérinaire rue de Bièvre, son antiquaire rue de Lille, son café s'appelle « Les trois Mailletz ». Autant d'informations qui se réfèrent au « réel », qui parent la fiction des prestiges de la réalité, afin d'endormir la suspicion du lecteur et de l'entraîner dans l'histoire.

• *Les images[1] : une mise en condition du lecteur*

La plupart des récits fantastiques sont riches en images. Elles constituent ce que Todorov appelle des « paliers vers le surnaturel ». En effet, conférant à la réalité familière un visage poétique et mystérieux, elles préparent le lecteur à l'irruption de l'inconnu.

Ainsi, dans *Inès de Las Sierras*[2] de Nodier, lors de l'arrivée des trois militaires au château de Ghismondo, les tourelles sont comparées à des spectres : « [...] un éclair éblouissant déchira le ciel et nous montra les blanches murailles du vieux castel, avec ses tourelles groupées

---

1. Nous entendons par images : métaphores (« Tu es mon lion superbe et généreux », célèbre vers d'*Hernani* de Victor Hugo) et comparaisons (Cet homme est courageux comme un lion).
2. Voir résumé, page 41.

comme un troupeau de spectres [...] » La comparaison annonce l'apparition du prétendu fantôme d'Inès quelques pages plus loin.

• Ramener l'inconnu au connu : l'utilisation des discours rationaliste, scientifique et occulte

Pour faire accepter l'anormal, l'inexplicable, le narrateur du récit fantastique propose ou suggère des explications. Celles-ci se révèlent en général incomplètes et insatisfaisantes.

Le héros narrateur du *Horlà* cherche à expliquer son incompréhensible peur, sa hantise de l'être mystérieux et invisible qui le harcèle. Le 2 juillet, il songe à la faiblesse de ses sens. Le 5 juillet, il constate avec horreur qu'on a vidé sa coupe d'eau pendant son sommeil : il émet une troisième hypothèse, celle du somnambulisme. Le 12 juillet, il se croit sous l'influence de ce qu'il appelle les « suggestions », les phénomènes parapsychologiques. Le 14 juillet, il pense à la possession démoniaque : « Quelqu'un possède mon âme et la gouverne. » Enfin, il énonce l'hypothèse de l'arrivée d'un être nouveau, chargé de succéder à l'homme : « A présent, je sais, je devine. Le règne de l'homme est fini. Il est venu, Celui que redoutaient les premières terreurs des peuples naïfs [...] ».

Le héros du *Horlà* envisage donc successivement une explication philosophique (nos sens ne perçoivent pas toute la réalité), une explication médicale (le somnambulisme, le rêve). Il recourt ensuite à la science (l'hypothèse de l'hypnose) et au discours religieux (l'idée de la possession). L'idée de la fin de l'homme au profit d'une nouvelle sorte de créature annonce la science-fiction. Le Horlà serait-il un extra-terrestre ? En tout cas, il demeure mystérieux et indiscernable. Le lecteur hésite jusqu'à la fin sur sa nature véritable. La réunion en oxymore[1] des deux adverbes opposés « hors » et « là » exprime bien son

---

1. Oxymore : alliance de deux termes opposés (un soleil noir).

caractère irréductible et son essence contradictoire : il s'agit d'un être présent partout et visible nulle part.

Le récit fantastique feint de s'appuyer sur le discours scientifique, rationaliste et religieux, pour tenter de justifier l'anormal, l'inconnu, de les ramener aux normes de notre monde. Mais science et raison fournissent dans le récit des explications incomplètes et décevantes. Elles révèlent leur faiblesse, leurs lacunes et leur vanité, et tout cela pour mieux plonger le lecteur dans l'incertitude propre au fantastique.

DÉCRIRE L'ÉVÉNEMENT SURNATUREL

• *La perte des repères de temps et de lieu*

L'irruption du surnaturel s'accompagne souvent de la disparition des repères de temps et de lieu. Le récit de *La nuit* de Maupassant en est un exemple.

Le narrateur-héros raconte comment, au cours d'une de ses promenades nocturnes dans Paris, il voit la ville se vider de ses habitants, disparaître dans une « nuit impénétrable », interminable, où tout s'engloutit. Le conte est construit sur l'opposition entre deux parties. Dans la première, le héros déambule dans un Paris lumineux : « Tout était clair dans l'air léger, depuis les planètes jusqu'aux becs de gaz. Tant de feux brillaient là-haut et dans la ville que les ténèbres en semblaient lumineuses. » Ce monde flamboyant des vivants commence à basculer lorsque le héros atteint le bois de Boulogne. Les ténèbres, le silence s'installent progressivement. Le temps se met à vaciller : « Quelle heure était-il quand je repassai sous l'Arc de Triomphe ? Je ne sais pas. » Les objets s'estompent : « [...] je ne distinguais pas même la colonne de Juillet, dont le génie d'or était perdu dans l'impénétrable obscurité. » La question obsédante revient : « Quelle heure était-il donc ? » puis la montre finit par s'arrêter : « Je tirai ma montre... elle ne battait plus... elle était arrêtée. » Le héros perd les notions de temps et de lieu ; il arrive au bord de la Seine et s'enfonce dans l'eau ; le conte s'achève sur l'annonce de sa mort prochaine : « Et je sentais bien que je n'aurais plus jamais la force de remonter... et que j'allais mourir là... moi aussi, de faim, de fatigue et de froid. »

Le mystère de cette nuit fantastique atteint d'autant plus le lecteur qu'il s'insère dans un cadre parisien décrit avec précision et connu de tous. Le fantastique enlève à nos repères leur pouvoir d'ancrage dans la réalité ; notre monde nous échappe et nous rejette.

• *Décrire sans donner à voir*

Lorsque le narrateur choisit de décrire l'événement surnaturel (il préfère parfois ne pas le mentionner ; c'est le cas dans *La main d'écorché* de Maupassant), il se heurte à la difficulté de parler d'un phénomène indescriptible par définition. Comment décrire l'innommable, l'extraordinaire, l'inconnu ? Il utilise en général un certain nombre de procédés, qui lui permettent de respecter un certain flou tout en caressant l'imagination du lecteur et en l'invitant à combler les lacunes, les blancs du texte. Nous nous appuierons, pour notre inventaire - incomplet, bien sûr - de ces procédés, sur deux descriptions, l'une de Noël Devaulx dans *La dame de Murcie*, l'autre de Maupassant tirée du *Horlà*.

Le narrateur de *La dame de Murcie* est amené à décrire un animal absolument inconnu et impossible à rapprocher d'une créature existante.

> « Cependant, parvenu au point de cette relation où je ne puis éviter de le décrire, j'hésite, soit faiblesse, soit respect... J'incline à penser que cette prétention serait de toute façon vaine. La créature ne rappelait aucune forme naturelle, végétale ou animale, n'entrait dans aucun registre du souvenir. Seul le visage offrait de vagues indications humaines, mais cela avant qu'on eût songé à isoler chaque trait. Les yeux excédaient en beauté les plus vertigineux au bord desquels un homme se fût jamais penché. Leur secret résidait dans un jaillissement inépuisable de paillettes d'or, d'une telle chaleur que la proie fascinée s'abandonnait presque aussitôt à une extase irréparable. »

Voici maintenant un extrait de la scène capitale du *Horlà*, où le héros attend son ennemi dans sa chambre, prêt à le capturer.

« Donc, je faisais semblant d'écrire, pour le tromper, car il m'épiait lui aussi ; et soudain, je sentis, je fus certain qu'il lisait par-dessus mon épaule, qu'il était là, frôlant mon oreille.

Je me dressai, les mains tendues, en me tournant si vite que je faillis tomber. Eh bien ?... on y voyait comme en plein jour, et je ne me vis pas dans ma glace !... Elle était vide, claire, profonde, pleine de lumière ! Mon image n'était pas dedans... et j'étais en face, moi ! Je voyais le grand verre limpide du haut en bas. Et je regardais cela avec des yeux affolés ; et je n'osais plus avancer, je n'osais plus faire un mouvement, sentant bien pourtant qu'il était là, mais qu'il m'échappait encore, lui dont le corps imperceptible avait dévoré mon reflet.

Comme j'eus peur ! Puis voilà que tout à coup je commençai à m'apercevoir dans une brume, au fond du miroir, dans une brume comme à travers une nappe d'eau ; et il me semblait que cette eau glissait de gauche à droite, lentement, rendant plus précise mon image, de seconde en seconde. C'était comme la fin d'une éclipse. Ce qui me cachait ne paraissait point posséder de contours nettement arrêtés mais une sorte de transparence opaque, s'éclaircissant peu à peu.

Je pus enfin me distinguer complètement, ainsi que je le fais chaque jour en me regardant.

Je l'ai vu ! L'épouvante m'en est restée, qui me fait encore frissonner. »

Les deux textes que nous venons de citer mettent en scène l'événement surnaturel et tentent de le décrire. Ils utilisent des techniques d'écriture précises.

- *La description négative*

Le narrateur, chez Noël Devaulx, ne disposant pas de mots susceptibles de décrire la créature, choisit de la décrire à partir de ce qu'elle n'est pas. Sa description est une sorte de négatif de l'animal : « La créature ne rappelait aucune forme naturelle, végétale ou animale, n'entrait dans aucun registre du souvenir. »

- La description superlative

Le narrateur compense son impuissance verbale par l'usage d'expressions superlatives, qui ne constituent pas une description concrète et précise : « Les yeux excédaient en beauté les plus vertigineux... », « une extase irréparable ».

- La description par l'effet

Ce procédé consiste à décrire moins le phénomène ou la créature que les effets et la réaction qu'ils provoquent. Ainsi, dans le texte de Noël Devaulx, nous voyons moins les yeux de l'animal que nous ne sentons sa chaleur et l'extase qu'ils produisent sur leur proie. De même, la description du Horlà tente de déplacer l'intérêt du lecteur vers les réactions de peur du héros. On le voit traverser les différents degrés de la peur : de l'affolement (« mes yeux affolés »), en passant par la simple peur (« comme j'eus peur »), jusqu'à l'épouvante (« l'épouvante m'en est restée, qui me fait encore frissonner »).

- Les métaphores et les comparaisons[1]

Les métaphores et les comparaisons permettent de donner une existence verbale à ce qui ne peut être nommé directement puisque entièrement inconnu des humains. Ainsi, le Horlà est comparé à une « brume », à un corps liquide « comme à travers une nappe d'eau ».

- Le vocabulaire du regard

La présence fréquente du lexique de la vision et du regard accrédite dans l'esprit du lecteur l'idée de l'existence, de la présence visible et perceptible de l'événement fantastique. Elle gomme le caractère purement fictif et verbal du phénomène décrit. Ainsi le narrateur du *Horlà* répète : « On y voyait comme en plein jour » ; « je ne me vis pas dans ma glace ! » ; « je voyais le grand verre limpide » ; « et je regardais cela avec des yeux affolés ».

---

1. Cf. notes, page 46.

Cette liste non exhaustive de certains traits stylistiques de la description fantastique nous montre qu'elle n'est en fait qu'un leurre, qu'un simulacre de description. Sa fonction est moins de donner à voir que de suggérer ce qui ne peut se décrire et qui doit rester dans un flou propre à susciter l'hésitation.

APRÈS L'INTERVENTION DU SURNATUREL

• Les indices tangibles du passage du surnaturel

Le surnaturel laisse parfois des traces visibles et palpables, rendant plus difficile l'interprétation rationnelle de l'événement. Dans *Véra*[1], le comte d'Athol découvre, après la visite de son épouse, la clé de son tombeau, qu'il avait lui-même placée là sans s'en apercevoir. Le baron Xavier, dans *L'intersigne*[2], constate qu'un tour de clé a bien été donné pendant son sommeil : « Et, en allant, la bougie à la main, examiner la serrure de la porte, je constatai qu'un tour de clé avait été donné *"en dedans"*, ce que je n'avais point fait avant mon sommeil. » Xavier est-il somnambule ? Ces preuves tangibles du passage du surnaturel renforcent encore l'hésitation propre au fantastique.

• Le règne de l'hésitation et de l'incertitude

Face à l'expérience qu'il vient de traverser, le héros fantastique doute de lui-même : qu'a-t-il réellement vécu ?

Stylistiquement, cette incertitude s'exprime à travers des expressions que l'on appelle « modalisantes », c'est-à-dire destinées à exprimer un doute, une hésitation ; le narrateur nuance ses affirmations, modalise ses énoncés en

1. Voir résumé, pages 27-28
2. Voir résumé, pages 42-43

introduisant des formules comme « il me semblait que », « je crus », « peut-être que ».

Relisons la scène du reflet perdu dans *Le Horlà* (cf. ci-dessus, page 50) ; elle offre un petit échantillon de ces formules : « **Il me semblait** que cette eau glissait de gauche à droite [...] ». « Ce qui me cachait ne **me paraissait** point posséder de contours nettement arrêtés [...] » Les termes, que nous mettons en évidence, créent l'incertitude et contribuent à la rhétorique de l'incertain propre à l'écriture fantastique.

LES PIÈGES D'UNE ÉCRITURE

• *Paradoxe et contradiction : la perte du sens, la fuite de la vérité*

Le discours fantastique est contradictoire en profondeur puisqu'il doit rendre possibles des explications incompatibles (cf. le chapitre de définition, page 7). Le lecteur, lors d'une deuxième lecture, peut repérer les procédés du genre destinés à égarer le lecteur. Analysons quelques exemples de ces énoncés contradictoires, de ces nœuds du texte où prend naissance le paradoxe fantastique.

La nouvelle de **Marcel Brion**[1], *Sibilla van Loon*, tirée du *Chant de l'oiseau étranger*, raconte l'histoire d'un homme qui, lors d'une exposition sur la peinture hollandaise du XVIIe siècle, passe de l'autre côté d'un tableau, au sein même de l'univers représenté. Il se retrouve dans une maison hollandaise, où il rencontre une femme, Sibilla van Loon, qui s'apprête à empoisonner son mari, et avec qui il vit une histoire d'amour étrange et intense.

S'agit-il d'un rêve ? Le narrateur-héros n'utilise pas de locutions modalisantes mais énonce après coup, une fois son aventure terminée, des phrases irrecevables en bonne

---

1. Marcel Brion (1895-1984) est un des représentants majeurs du fantastique contemporain. Le fantastique s'associe souvent chez lui au thème du voyage, de l'errance. Citons *Le théâtre des esprits* (1941).

logique rationnelle : « Un impossible souvenir me dit que Sibilla van Loon chantait cela, mais comment est-ce possible, puisque je n'ai jamais connu de femmes s'appelant Sibilla van Loon ? » De même qu'il peut nommer une femme qu'il n'a jamais vue, il reconnaît une ville où il n'est jamais allé : « Je ne sais pas comment s'appelle cette ville, dont chaque rue m'est familière ; qu'importe un nom ? Jamais la notion même de présence n'a été emplie, pour moi, d'une aussi fatale et paisible évidence. » Comme dans le rêve, l'événement fantastique impose sa présence inexplicable.

• Les trois pièges d'une écriture

Le récit fantastique, en définitive, est un genre qui nourrit les illusions nécessaires à l'envoûtement du lecteur grâce à trois procédés, à trois techniques :

- L'aveu de sincérité et de véracité du narrateur qui cache un jeu subtil de faux indices et de mauvaise foi.

- La précision scrupuleuse de certains détails qui vient masquer certaines lacunes, des blancs volontaires du texte. Les procédés de réalisme sont détournés au profit de l'irréel et de l'invraisemblable.

- Enfin, le piège suprême consiste à nous faire croire que l'événement surnaturel s'est réellement passé alors que le fantastique est produit par les mots, les images, le pouvoir du langage.

Le thème de la peur 8

Les récits fantastiques mettent en scène un univers placé sous le signe de l'étrange et de l'insolite. L'amateur de fantastique est d'abord attiré par les histoires de vampires, de doubles, de maisons hantées, de monstres, qui lui promettent des sensations fortes et un jeu subtil entre la peur et l'attirance à l'égard de ce monde irréel.

PEUR ET TRANSGRESSION DU QUOTIDIEN

Les récits fantastiques transgressent les frontières entre le possible et l'impossible, tels que nous, lecteurs, les concevons. Or notre idée de la réalité, notre conception de ce qui est possible et impossible sont le résultat d'un héritage culturel et de conventions admises par notre civilisation.

Toutes les civilisations ne dessinent pas les mêmes frontières entre le possible et l'impossible. De nombreux peuples d'Afrique croient en l'existence des revenants. Pour ces peuples, les revenants ne relèvent donc pas de l'impossible mais de la réalité. Au contraire, notre civilisation, gouvernée par la pensée rationaliste et scientifique, distingue bien nettement la mort de la vie et relègue la possibilité d'une survie ou d'un retour des morts au rang des croyances religieuses et des superstitions.

Contrairement à la science, qui tente d'expliquer clairement l'univers et d'établir des distinctions précises, les histoires fantastiques se plaisent à lézarder l'édifice de nos connaissances et notre vision du possible et de l'impossible. Faire revivre les morts, animer les objets inertes, dédoubler la même personne en un autre soi-même ou en un monstre relèvent de la même tentative : abolir les limites entre des domaines que nous séparons dans notre vie quotidienne. Le réel perd ses contours bien définis, et déclenche chez le lecteur le « grand frisson » de la peur.

« L'INQUIÉTANTE ÉTRANGETÉ »

Le surnaturel des récits fantastiques prend un visage effrayant. Les histoires ressemblent à des cauchemars. Mais pourquoi nous font-elles peur ?

Freud propose une explication dans un article tiré des *Essais de psychanalyse appliquée*[1], intitulé « L'inquiétante étrangeté ». Le fantastique représente des situations et des phénomènes qui réveillent nos peurs infantiles. Nous les avons surmontées en grandissant mais elles restent vivaces et prêtes à revivre lorsqu'on les ranime. Nous retrouvons la peur de l'obscurité, de la mort, de la toute-puissance du langage, peur qui remonte à la formation de notre personnalité et de la pensée humaine.

Notre raison est impuissante à lutter contre ce malaise. Notre *moi* adulte a beau se convaincre que les morts ne peuvent revivre ou les statues bouger, quelque chose en nous continue à y croire et à en avoir peur.

UNE HISTOIRE DE PEUR : *LA PEUR* DE MAUPASSANT

Maupassant est un des auteurs fantastiques qui a le mieux décrit la peur parce qu'il en a vécu lui-même les tortures. Dans des nouvelles telles que *Lui* et *Le Horla*, la peur atteint la gravité d'une maladie psychique ; elle débouche sur la folie.

---

1. Sigmund Freud, *Essais de psychanalyse appliquée*, Éditions Gallimard, 1933, pour la traduction française.

Dans *La peur*, datée du 23 octobre 1882, le héros décrit en ces termes l'émotion de la peur : « La peur (et les hommes les plus hardis peuvent avoir peur), c'est quelque chose d'effroyable, une sensation atroce, comme une décomposition de l'âme, un spasme affreux de la pensée et du cœur, dont le souvenir seul donne des frissons d'angoisse. [...]

Cette description montre que pour Maupassant la peur n'est pas un simple malaise mais touche l'être en profondeur.

Le personnage en vient à raconter les circonstances où il a éprouvé la peur la plus vive de sa vie. Il séjourne chez un garde forestier. Celui-ci vit dans la hantise du souvenir d'un braconnier, qu'il a tué deux ans auparavant. Lorsque le héros arrive chez le garde, son hôte lui déclare : « Voyez-vous, Monsieur, j'ai tué un homme, voilà deux ans, cette nuit. L'autre année, il est revenu m'appeler. Je l'attends encore ce soir. » Il est tard, la tempête fait rage dehors, une atmosphère de terreur règne dans la maison.

Tout à coup, le garde forestier pousse des cris : « Le voilà ! le voilà ! Je l'entends ! » ; son vieux chien se met à hurler, le poil hérissé : « [...] pendant une heure, le chien hurla sans bouger ; il hurla comme dans l'angoisse d'un rêve ; et la peur, l'épouvantable peur entrait en moi ; la peur de quoi ? Le sais-je ? C'était la peur, voilà tout. »

Le chien se met à tourner autour de la pièce ; excédé, le paysan le jette dehors. Le silence s'installe quand, soudain, on entend un être frôler la maison et tâter la porte. Dans l'affolement général le paysan tire. Le lendemain, on découvre à la porte le cadavre du vieux chien, « la gueule brisée d'une balle ».

Maupassant suggère par ce récit que les peurs les plus vives sont celles que nourrit notre imagination et celles qui n'ont pas de raisons objectives. Ainsi le héros de *La peur* ne croit pas aux revenants ; pourtant il est contaminé par l'atmosphère de terreur et éprouve, dit-il, une « angoisse du cœur, de l'âme et du corps ».

C'est cette peur-là que recherche le lecteur du fantastique, une peur qu'il sait imaginaire mais dont il ne peut se défendre. Fantômes, doubles, monstres ont pour mission de réveiller ses propres hantises.

9 Le thème des morts-vivants

L'ORIGINE DU THÈME :
LE REFUS DE LA MORT

La mort est un scandale et un traumatisme pour l'homme. Ce dernier éprouve vis-à-vis d'elle un sentiment contradictoire : il sait qu'il ne peut y échapper mais il ne peut en même temps l'accepter. Nous assistons à la mort des autres mais notre propre mort nous paraît incroyable.

Dans son ouvrage *L'homme et la mort*[1], Edgar Morin montre comment le primitif ne peut concevoir l'idée de l'anéantissement total. De même le jeune enfant imagine la mort comme un retour à l'état de fœtus

Nous retrouvons dans la littérature fantastique les premières conceptions de la mort, telles qu'elles apparaissent dans les peuplades dites primitives ou dans la mentalité enfantine.

Le primitif conçoit la mort comme une renaissance ou comme une disparition partielle de l'individu. La mort n'est que l'anéantissement du corps. Chaque homme possède un double immortel, qui l'accompagne pendant toute son existence et se sépare de lui au moment de la mort. Ce double est à l'image exacte de l'être vivant, il en a les besoins vitaux (boire, manger), les passions, les sentiments, mais il possède en plus des pouvoirs surnaturels.

Les sociétés primitives élaborent tout un rituel, lors de la mort d'un individu, afin d'assurer la bonne libération

---

1. Edgar Morin, *L'homme et la mort*, Éditions du Seuil, 1970.

de son double et de ménager sa susceptibilité. Un mort délaissé, ou privé de sépulture, peut, en effet, chercher à se venger sur ses descendants et devenir maléfique.

Le mort-vivant est donc pour le primitif un rempart, une protection contre l'idée de la mort. Mais, progressivement, loin de nous aider à apprivoiser la mort, le mort-vivant va l'incarner et provoquer l'horreur.

UN THÈME EFFRAYANT ET FOISONNANT

Dans la littérature fantastique, le mort-vivant incarne davantage notre peur *des* morts que de *la* mort elle-même. Paradoxalement, nous avons besoin que la mort des autres soit une vraie mort. Nous supportons mal l'idée qu'ils puissent se réveiller ou perdre le repos. Le mort-vivant nous fait horreur car il suggère que la mort n'est peut-être pas la mort, n'est peut-être pas une fin.

Notre raison se rebelle contre la coexistence de la vie et de la mort dans une même créature. Le mort-vivant, en abolissant les frontières entre vie et mort, contrecarre notre besoin rationnel de distinctions bien nettes.

Le thème du mort-vivant englobe toute une série de créatures, telles que le fantôme, le vampire, la momie vivante, le zombie (cadavre animé par un sorcier qui le fait travailler comme esclave), la strige (vampire tenant de la femme et de la chienne).

Deux figures dominent la production fantastique : le vampire et le fantôme.

LE VAMPIRE

• *Origines et caractéristiques*

Le vampire est une figure qui appartient à l'origine au folklore de l'Europe orientale (Roumanie, Pologne, Grèce). Elle est introduite en France au XVIIIᵉ siècle par les récits de voyageurs et suscite une mode qui se prolonge encore de nos jours. Le vampire reste le personnage fantastique le plus représenté au cinéma. En littérature, il est immortalisé par *Dracula* de Bram Stoker (1897), qui a donné au cinéma le fameux *Nosferatu le vampire* de Murnau en 1922.

Le vampire est le plus souvent un homme, ou une femme, qui vit en marge de la société. Au moment de la mort, le cadavre ne parvient pas à entrer en décomposition et à trouver le repos. Toutes les nuits, il sort de sa tombe et suce le sang des vivants pendant leur sommeil, afin de rester en vie. Certains vampires sucent les yeux ou la moelle épinière de leurs victimes. D'autres sont même cannibales et mangent la chair des vivants ! Le vampire s'attaque de préférence à des membres de sa propre famille. Ses victimes s'affaiblissent et peuvent devenir à leur tour des vampires.

La lumière, la croix, l'odeur de l'ail éloignent ces morts-vivants ; mais pour les faire disparaître, il faut les brûler ou les clouer à leur tombe avec un pieu planté dans le cœur.

• *Une histoire de vampire :* La morte amoureuse de Théophile Gautier

Un vieux prêtre de soixante-dix ans, Romuald, raconte l'histoire d'amour qui a marqué sa jeunesse et failli le vouer à la damnation éternelle.

Le jour de son ordination, il a le malheur de porter ses regards sur une femme étrange, dont il devient éperdument amoureux. Dès lors, Romuald vit possédé par cet amour et connaît une agitation extrême.

Un an après son installation dans un village isolé, un homme vient le chercher, une nuit : sa maîtresse se meurt et attend les derniers sacrements. Il entraîne Romuald dans une chevauchée fantastique à travers une forêt sinistre. Mais à leur arrivée au château, la jeune femme est déjà morte.

Romuald reconnaît Clarimonde et tombe en contemplation devant le cadavre de celle qu'il a aimée. Irrésistiblement attiré, il dépose un baiser sur ses lèvres. La morte se réveille et lui parle : « Maintenant nous sommes fiancés, je pourrai te voir et aller chez toi. » Romuald s'évanouit et... se réveille dans son presbytère où on lui apprend qu'il a vécu trois jours dans un état cataleptique et que personne ne connaît de château dans les environs du village ! Des bruits courent sur Clarimonde : « On a dit que c'était une goule[1], un vampire femelle », « ce n'est pas, à ce qu'on dit, la première fois qu'elle est morte ».

Une nuit, Clarimonde apparaît à Romuald dans un rêve et lui annonce qu'ils partiront le lendemain pour une existence dorée. Dès lors, Romuald vit partagé dans une double vie : celle d'un jeune seigneur opulent et débauché, la nuit et celle d'un prêtre austère, le jour.

Romuald surprend un jour Clarimonde lui suçant le sang d'une blessure ; elle jubile : « Ma vie est dans la tienne, et tout ce qui est moi vient de toi. Quelques gouttes de ton riche et noble sang, plus précieux et plus efficace que tous les élixirs du monde, m'ont rendu l'existence. » Un ami abbé propose à Romuald de l'exorciser en déterrant le corps de Clarimonde morte. Ce qu'ils font. Le cadavre tombe en poussière au contact de l'eau bénite.

Le thème du vampire dans *La morte amoureuse* laisse apparaître la relation ambivalente que le vampire entretient avec sa victime. Si la tradition voit dans le vampirisme un acte de haine et de vengeance, certains auteurs comme Gautier ont vu dans l'acte de succion une métaphore de l'amour. Le vampire a besoin de sa victime pour survivre, comme l'amant a besoin de celle qu'il aime pour vivre.

Le thème du vampire n'apparaît que progressivement et domine les dernières pages du récit. Le premier portrait de Clarimonde insiste sur la froideur de sa main, la couleur de sa peau « d'une blancheur bleuâtre ». Mais Romuald est attiré par la présence sourde de la mort dans cette femme. Dans un XIXe siècle puritain, le thème du vampire permet à Gautier d'effleurer des sujets tabous : en l'occurrence la nécrophilie[2]. La littérature fantastique est souvent une littérature des interdits.

---

1. Une goule est une sorte de vampire femelle dans les légendes orientales.
2. Attirance pour les morts.

LE FANTÔME

Le fantôme est un mort-vivant désincarné, c'est-à-dire privé de toute consistance charnelle. Il revient sous forme d'apparitions, d'images. Spectres, esprits, ombres, lémures[1] appartiennent au groupe des fantômes. Citons *La redevance du fantôme* de Henry James.

Les apparitions des fantômes obéissent dans la tradition à des règles précises : ils reviennent souvent le jour anniversaire de leur mort, à minuit, car ils ne supportent pas la lumière du jour. Une version plus caricaturale et grand-guignolesque les montre recouverts d'un linceul et alourdis d'une chaîne. Le fantôme est un être inquiétant et distant, plus près de la mort que de la vie.

• *Une histoire de fantôme :* Fin d'un amour d'Alain Dorémieux[2]

Un cinéaste de renom, Dalmani, a la surprise de découvrir, en visionnant une séquence de son nouveau film, *Fin d'un amour*, la présence sur l'écran d'une silhouette de femme qui était absente le jour du tournage. Il recommence le tournage de la scène, mais la femme énigmatique resurgit. Dalmani fait tirer un agrandissement du visage de l'inconnue et reconnaît Dania, une femme qu'il a aimée quinze ans auparavant. Son passé lui revient brusquement en mémoire. Il prend conscience que son nouveau film retrace l'histoire de la rupture avec Dania.

Mais la femme de son film est-elle la vraie Dania ? Après des recherches, il retrouve Dania, mais c'est une Diana vieillie, flétrie, qui ne ressemble plus à la jeune femme qui a traversé son film. Le cinéaste vit dès lors dans l'obsession de cette étrange apparition. Qui est-elle ? Comment a-t-elle pu sensibiliser la pellicule à son insu ?

Un jour, en proie à l'ivresse, Dalmani erre dans les rues de Milan et s'arrête machinalement sur une place qui réveille un souvenir. « [...] il se rappelait y être déjà venu quinze

---

1. Dans l'Antiquité romaine, spectre d'un mort.
2. Alain Dorémieux a été rédacteur en chef de la revue contemporaine *Fiction*. Il est l'auteur de nouvelles fantastiques et de science-fiction.

ans plus tôt. Et cela en compagnie de Dania. » Par une coïncidence incroyable, il se trouve jour pour jour à l'endroit
même où, quinze ans plus tôt, il rompait avec Dania. Soudain, survient le prodige : « Il releva la tête et vit qu'il n'était
plus seul : Dania, jeune et belle, la Dania d'autrefois, se
tenait à côté de lui, le fixant d'un regard grave...

Il crut à une hallucination. Il crut qu'il suffirait d'allon-
ger la main vers cette vision pour la faire disparaître, impal-
pable comme de la fumée. Sa main ne rencontra que le vide,
mais l'apparition demeura ; il lui sembla même qu'elle
souriait. »

Comprenant qu'il est pris dans un piège temporel, il veut
fuir et réclame la délivrance. Dans un accès de rage, face
au refus de Dania, il l'étrangle et s'évanouit.

A son réveil, croyant avoir échappé à un cauchemar et
retrouvé la réalité, il découvre à côté de lui le cadavre de
la Dania vieillie. En proie à une crise de démence, il est arrêté
par des agents de police.

• *Le fantôme du passé*

Comme dans *Véra* de Villiers de L'Isle-Adam (voir
résumé, page 27), le fantôme de Dania ne revient pas de
lui-même mais est appelé par un vivant. Toutefois, le
comte d'Athol décide volontairement de vivre comme si
son épouse partageait encore son existence et provoque
son apparition. Dalmani, en revanche, dans *Fin d'un
amour*, a suscité le fantôme de Dania inconsciemment,
en transposant sa propre vie dans son œuvre
cinématographique.

Thèmes du double et du fantôme se croisent dans un
texte qui multiplie les Dania : Dalmani rencontre, outre
la vraie Dania qui a vieilli, le fantôme de la Dania de vingt-
cinq ans, sans compter celle qui apparaît sur la pellicule
du film.

Thèmes du souvenir, du voyage dans le temps, du double et du fantôme s'enrichissent mutuellement dans cette
nouvelle, qui s'achève tragiquement par la mort de Dania
et la folie du héros.

LA SURVIE DES PARTIES DU CADAVRE

Dans les textes cités jusqu'à présent, le mort-vivant revivait dans son intégralité ou partageait encore de nombreuses ressemblances avec les vivants. Le thème des organes qui se séparent du cadavre pour devenir des objets malfaisants nous fait quitter le domaine de l'humain pour nous faire pénétrer celui du monstrueux.

Un organe ou un membre, souvent la main ou l'œil, se détache du cadavre, sort du tombeau et acquiert une autonomie terrifiante. Il semble téléguidé et programmé par une volonté occulte. Les histoires d'organes animés relèvent du cauchemar surréaliste.

• La main *de Guy de Maupassant*

Au cours d'une soirée, le juge d'instruction Bermutier raconte l'histoire étrange de Sir John Rowell. Cet Anglais, installé en Corse, vit en solitaire dans sa demeure d'Ajaccio, avec un seul domestique à son service. Il passe ses journées à chasser et à tirer au pistolet. La renommée populaire lui attribue des crimes obscurs, un passé politique chargé. Bermutier entre en contact avec lui et apprend qu'il a mené une vie d'aventures dans le monde entier. Il aperçoit dans le salon un objet bizarre : « Sur un carré de velours rouge, un objet noir se détachait. Je m'approchai : c'était une main, une main d'homme. Non pas une main de squelette, blanche et propre, mais une main noire desséchée, avec des ongles jaunes, les muscles à nu et des traces de sang ancien, de sang pareil à une crasse, sur les os coupés net, comme d'un coup de hache, vers le milieu de l'avant-bras. »

L'Anglais explique qu'il doit attacher la main, car « Elle voulé[1] toujours s'en aller. Cette chaîne été[1] nécessaire ». Sir Rowell a placé un peu partout des revolvers, comme pour se protéger. Est-ce un fou ? un mauvais plaisant ?

Un jour, Bermutier apprend que Sir Rowell a été assassiné. Il se rend sur place et découvre le cadavre : « L'Anglais était mort étranglé ! [...] il tenait entre ses dents quelque chose ; et le cou, percé de cinq trous qu'on aurait dit faits avec des pointes de fer, était couvert de sang. »

---

1. Maupassant tente de rendre la prononciation anglaise.

Bermutier constate avec horreur que la main d'écorché a disparu du salon ; la chaîne a été brisée. Le domestique de la victime raconte que son maître était très agité depuis un mois et frappait avec fureur la main scellée au mur.

Trois mois après ce meurtre étrange, on découvre la main sur la tombe de Sir John Rowell.

• *La main du mort : une araignée malfaisante*

La main est un des organes les plus inquiétants. Sa forme, ses doigts tentaculaires évoquent l'araignée, la pieuvre. D'autre part, elle sert à toucher et à saisir : elle étrangle, elle griffe. Dans *La main*, Maupassant s'applique à décrire avec une précision clinique l'objet hideux. Une nuit, Bermutier en rêve : « Je voyais la main, l'horrible main, courir comme un scorpion ou comme une araignée le long de mes rideaux et de mes murs. » Le thème du mort-vivant rencontre ici celui du monstre ; la partie séparée du corps est une créature hybride, située à mi-chemin entre l'animal et l'objet.

10 Le thème du double

UN DES THÈMES LES PLUS ANCIENS DE LA LITTÉRATURE

Le thème du double apparaît déjà dans la mythologie antique, à travers le thème des jumeaux, souvent fondateurs d'une ville (Romulus et Remus fondateurs de Rome). L'histoire de Narcisse racontée par Ovide dans *Les métamorphoses* met en scène l'histoire d'un moi dédoublé. Narcisse est un beau jeune homme qui tombe amoureux fou de sa propre image le jour où il aperçoit son reflet dans l'eau. Il en oublie le boire et le manger et tombe malade. Il prend racine au bord de la fontaine et se transforme peu à peu en une fleur qui porte son nom.

Le théâtre exploite abondamment le thème des jumeaux ; Shakespeare, au XVIᵉ siècle, en offre de nombreux exemples *(La comédie des erreurs, La nuit des rois...)*. Le thème ne pénètre la littérature narrative qu'au XIXᵉ siècle avec le romantisme allemand. Des auteurs comme Chamisso (*Histoire de Peter Schlemihl*, 1814), Hoffmann (*Les élixirs du diable*, 1816), Stevenson (*Le cas étrange du Dʳ Jekyll et Mr Hyde*, 1886) et Oscar Wilde (*Le portrait de Dorian Gray*, 1891) sont véritablement obsédés par ce thème repris en France par Nerval, Musset, Maupassant et Gautier.

UN THÈME ANCRÉ EN L'HOMME

Nous l'avons vu dans notre chapitre sur les morts-vivants (page 58), l'acte de naissance du double se confond avec les premières représentations de la mort chez l'homme. L'homme s'invente un double immortel pour échapper à l'idée de la mort. A l'origine, double et mort-vivant se confondent.

Otto Rank, dans *Don Juan et le double* [1], propose une des études les plus complètes du thème. Il analyse la signification psychologique du thème à travers la littérature, les mythes et le folklore.

Le thème du double se révèle être fortement lié au narcissisme (l'amour que chacun se porte à soi-même, à sa propre image). Les héros de la littérature qui ont un double se vouent la plupart du temps un amour excessif et exclusif, sur le modèle de Narcisse.

Cet égocentrisme les rend incapables d'aimer autrui et très angoissés devant l'idée de la mort. Plus on s'aime soi-même, moins on supporte l'idée de sa propre destruction.

Ces héros sentent sourdement que leur narcissisme est un excès qui menace leur équilibre et leur bonheur. C'est pourquoi ils s'inventent un double, image adorée d'eux-mêmes et en même temps projection extérieure de ce penchant qui leur nuit. C'est pourquoi le double, dans les histoires fantastiques, est le plus souvent maléfique.

LES DIFFÉRENTES SORTES DE DOUBLES

• *Les doubles par multiplication*

Le double par multiplication résulte de la duplication de la même personne. Un personnage trouve dans son frère jumeau son sosie, son double, son semblable. Qui n'a fait l'expérience troublante de confondre des jumeaux ou de prendre quelqu'un pour son sosie ?

1. Otto Rank, *Don Juan et le double*, traduction et publication française aux Éditions Denoël, 1932.

A l'intérieur de ce groupe, on peut distinguer les doubles naturels, jumeaux et sosies, et les doubles artificiels, fabriqués, tels que les mannequins, statues, automates ou personnages peints. Il s'agit moins alors de sosies que de « répliques », de « calques » des modèles. Ainsi, dans *Le portrait de Dorian Gray* d'Oscar Wilde, le héros, doté d'une beauté exceptionnelle, jouit d'une jeunesse éternelle grâce à son portrait qui vieillit à sa place.

• Les doubles par division

On appelle double par division le double issu de la séparation d'une partie d'un individu qui devient autonome. L'image de la personne prend son indépendance, souvent à la suite d'un pacte avec le diable. Cette scission de la personnalité en deux existences distinctes crée la sensation d'une perte et d'un manque irréparables.

La littérature française n'offre pas d'exemple majeur de ce thème. Le chef-d'œuvre du genre revient à l'Allemand Chamisso avec son *Histoire de Peter Schlemihl* (1814). Le héros y abandonne son double au diable en échange de la richesse.

• Les doubles hallucinatoires

Ils ne sont visibles que par les victimes vivant le drame du dédoublement de la personnalité. La personne ne sait pas si elle a affaire vraiment à son double ou si elle est victime d'une hallucination. Dans *Lui* de Maupassant, le héros aperçoit de dos, en rentrant chez lui, un homme assis dans un fauteuil qui se volatilise lorsqu'il veut le toucher. Il vit dès lors dans une angoisse insurmontable.

Cette classe de doubles se prête à l'hésitation propre au fantastique. Les auteurs peuvent jouer de l'incertitude entre double véritable ou hallucination et nous installer au cœur du problème de l'unité de la personnalité.

• *Une histoire de double persécuteur* : Le Horlà de Maupassant

Le héros du *Horlà* sent une présence hostile à ses côtés et décrit dans son journal la lente montée de la peur et les manifestations de cette créature innommable qu'est le Horlà.

Le Horlà, au départ, est invisible mais manifeste sa présence par des signes : il boit la carafe d'eau du héros, il casse une fleur sous ses yeux, il tourne une page de son livre. Le personnage est seul à percevoir ces signes et part deux fois en voyage pour échapper à son délire. Mais, au retour, le Horlà l'assaille à nouveau. Il parasite sa victime : « Cette nuit, j'ai senti quelqu'un accroupi sur moi, et qui, sa bouche sur la mienne, buvait ma vie entre mes lèvres. » Le Horlà apparaît ici comme un monstre dévorant.

Au fil du récit, le héros sent sa présence à la fois à côté de lui et en lui : « Il est en moi, il devient mon âme. » Le Horlà dépossède sa victime de son identité.

Pour s'en débarrasser, le héros décide de l'enfermer dans sa demeure, après avoir fait barricader les portes et les fenêtres. Il met le feu à la maison mais l'angoisse revient : « S'il n'était pas mort ? [...] Non... non... sans aucun doute, sans aucun doute... il n'est pas mort... Alors... alors... il va donc falloir que je me tue, moi !... »

Seule la mort semble pouvoir délivrer le héros de ce double qui le vampirise et le dépossède de sa volonté et de ses facultés. Il n'y a pas de vie possible pour les deux.

Le lecteur hésite jusqu'au bout sur la nature véritable du Horlà et pressent que cette créature n'est peut-être que le produit de la folie du héros. D'autres interprétations sont possibles[1].

---

1. Voir ci-dessus « Les techniques du fantastique », page 45.

11 Le thème des monstres

LES MONSTRES PAR ASSEMBLAGE ET PAR MÉTAMORPHOSE

Le mot « monstre » vient du latin *monere* qui signifie « avertir », « mettre en garde ». Un monstre, c'est un signe que les dieux envoient aux hommes, un avertissement. Dans l'univers fantastique, les monstres semblent les signes d'un autre monde, les témoins de l'intrusion du surnaturel dans notre univers.

Le monstre par assemblage réunit en un seul être des règnes incompatibles dans la réalité : l'humain et l'animal, l'humain et le végétal. La confusion des règnes peut n'avoir lieu que périodiquement. C'est le cas du loup-garou, monstre du folklore de l'Europe occidentale. Le loup-garou est un homme qui se change en loup chaque mois à la pleine lune.

• Une histoire de monstre par métamorphose : Lokis de Mérimée

Lokis raconte l'histoire du comte Szémioth, dont la mère est devenue folle, deux jours après son mariage, après avoir été attaquée par un ours lors d'une partie de chasse. Neuf mois plus tard, elle met au monde le comte Szémioth en poussant des cris : « Tuez-le ! tuez la bête ! »

Le comte Szémioth vit à présent avec sa mère dans son château de Lituanie. Il est la proie de maux de tête périodiques qui l'obligent à s'isoler. Les chevaux et les chiens s'effraient à son approche.

C'est le lendemain de ses noces avec une jeune femme qu'il adore que se produit le drame. On retrouve la jeune épouse tuée, « la figure horriblement lacérée, la gorge ouverte, inondée de sang » ; le comte disparaît à jamais.

Mérimée, en cours de récit, suggère que le comte Szémioth, comme le loup-garou, se métamorphose périodiquement en ours.

• Les objets vivants

Une autre catégorie de monstres mêle le règne de l'animé et de l'inanimé. La littérature fantastique est riche en statues, tableaux et autres images de l'homme qui s'animent. *La Vénus d'Ille* de Mérimée illustre ce thème à merveille (voir résumé, page 9).

Dans *Qui sait ?* de Maupassant, le héros assiste à une scène extraordinaire : l'animation et le départ de ses propres meubles hors de la maison : « Et voilà que j'aperçus tout à coup, sur le seuil de ma porte, un fauteuil, un grand fauteuil de lecture, qui sortait en se dandinant. Il s'en alla par le jardin. D'autres le suivaient, ceux de mon salon, puis les canapés bas se traînant comme des crocodiles sur leurs courtes pattes, puis toutes mes chaises, avec des bonds de chèvres et les petits tabourets qui trottaient comme des lapins. »

Dans ce texte l'objet animé devient animal.

12 | Le thème du diable et de ses intercesseurs

LE DIABLE A TRAVERS LES SIÈCLES

Jusqu'au XVe siècle, l'Église n'accorde pas de pouvoirs réels au diable. Ce dernier appartient au domaine populaire, qui le met en scène dans les mystères[1] et les fabliaux. En revanche, de la fin du Moyen Age jusqu'au XVIIe siècle, le diable est considéré comme une créature intervenant dans les affaires du monde. Le tribunal religieux de l'Inquisition fait régner la terreur en pourchassant la sorcellerie. Au XVIIIe siècle, sous l'influence du rationalisme, le diable est ramené au rang de superstition. C'est au XIXe siècle que le diable réapparaît en force non plus dans les croyances religieuses mais sous forme de personnage littéraire hautement symbolique.

LE DIABLE, PERSONNAGE FANTASTIQUE

Le diable est une des figures majeures de l'univers fantastique. Il apparaît dès le roman noir dans les œuvres de Maturin (*Melmoth*, 1820), Lewis (*Le moine*, 1796), Potocki (*Manuscrit trouvé à Saragosse*, 1804), Hoffmann (*Les élixirs du diable*, 1816).

---

1. Un mystère est une pièce de théâtre du Moyen Age jouée sur le parvis des églises et qui représente des scènes de la vie du Christ.

Le thème du pacte diabolique est immortalisé par Goethe dans son *Faust* (1808). Le docteur Faust est un vieux savant déçu qui a consacré sa vie à la recherche de la vérité et des secrets de la nature. Il décide de mettre un terme à ses jours lorsque le diable Méphisto lui propose de lui rendre jeunesse et beauté en échange de son âme. Les pouvoirs conférés par Satan à ses victimes ne dépassent pas vingt ans. Au terme du contrat, le diable vient réclamer son dû. Le pacte conduit à la mort et à la damnation.

Le diable use d'une autre arme pour séduire ses victimes : il se métamorphose en animal ou en humain. Il prend souvent le visage de la beauté féminine. Cazotte dans *Le Diable amoureux*[1] (1772) offre un bel exemple de diable incarné en femme.

LES INTERCESSEURS DU DIABLE

• *Les personnages charnières entre le monde naturel et surnaturel*

Dans l'univers fantastique, on peut distinguer trois sortes de personnages : ceux qui viennent de l'au-delà, du monde invisible (fantômes, diable, créatures invisibles...) ; ceux qui n'appartiennent qu'au monde naturel et relèvent du commun des mortels ; enfin ceux qui se situent entre les deux et entretiennent une relation privilégiée avec les forces occultes et les puissances mystérieuses. Ce sont les personnages principaux des histoires d'occultisme : le magicien, le sorcier, l'alchimiste, personnages qui ont le plus souvent pactisé avec Satan.

Ils vivent en général dans la solitude et la marginalité. Ils croient pouvoir entrer en contact avec l'invisible et même utiliser les forces surnaturelles grâce à un savoir et des techniques précises. Les alchimistes élaborent une science universelle, à la recherche de l'unité profonde de l'univers, qu'ils rêvent de résumer en quelques formules.

1. Voir résumé, pages 14-15.

Dans les histoires fantastiques, ces personnages média-
teurs utilisent le plus souvent leur savoir et leur pouvoir
à des fins malfaisantes. Ils s'aident de tout un attirail fabu-
leux : talismans, liqueurs, élixirs, amulettes.

• *Une histoire de talisman :* La peau de chagrin[1] de Balzac

- *L'histoire*

La peau de chagrin raconte l'histoire d'un jeune homme
ruiné, Raphaël de Valentin, qui vient de perdre toute sa fortune au jeu. Sur le point de se jeter à l'eau, il entre par hasard
en pleine nuit chez un vieil antiquaire, qui lui cède un objet
magique, une peau de chagrin. Elle est capable de réaliser
les désirs de son propriétaire mais rétrécit à chaque souhait
accompli. Lorsque la peau est entièrement réduite, son déten-
teur meurt.

Balzac décrit ainsi le talisman :

« [...] la dimension n'excédait pas celle d'une peau de
renard ; mais, par un phénomène inexplicable au premier
abord, cette peau projetait au sein de la profonde obscurité
qui régnait dans le magasin des rayons si lumineux que vous
eussiez dit d'une petite comète. » La peau porte une inscrip-
tion en sanscrit : « Si tu me possèdes, tu posséderas tout.
Mais ta vie m'appartiendra. » Raphaël accepte le pacte. « Je
veux vivre avec excès », dit-il au vieil antiquaire.
    En quittant le magasin, son premier souhait se réalise. Il
rencontre des amis qui l'entraînent dans une orgie. Au cours
de celle-ci, il formule le vœu de la richesse. Aussitôt entre
un notaire qui lui annonce un héritage ! Mais la peau a dimi-
nué. Pour ne plus rien souhaiter, Raphaël s'enferme chez lui.
    Un soir pourtant, il se rend au théâtre où il retrouve une
femme, Pauline, qu'il a connue lorsqu'il était un pauvre étu-
diant. Raphaël jette la peau dans un puits ; elle lui est rapportée. Il fait appel à des savants pour la détruire mais elle
résiste à tous les traitements. Il tombe malade et se rend à

1. Le chagrin est un cuir fait de peau de mouton, de chèvre ou d'âne. Dans le
roman de Balzac, il s'agit de la peau d'onagre.

Aix-les-Bains, où il doit encore utiliser les pouvoir[s]
man au cours d'un duel. Mais il ne peut échapper [à]
tin et meurt dans un dernier élan de désir pour

- *Le personnage ambigu de l'antiquaire : un intercesseur du diable ?*

La figure de l'antiquaire et le talisman sont les deux
aspects de l'œuvre qui placent *La peau de chagrin* dans
le genre fantastique.

Physiquement, l'antiquaire possède la blancheur macabre des cadavres : « La robe ensevelissait le corps comme
dans un vaste linceul. » Son apparence laisse deviner des
pouvoirs surnaturels : « Il était impossible de tromper cet
homme qui semblait avoir le don de surprendre les pen-
sées au fond des cœurs les plus discrets. »

Doté d'une longévité incroyable, il doit avoir environ
cent trente ans ; il possède une science et une expérience
immenses. Il voue un culte à la pensée : « Vouloir nous
brûle et pouvoir nous détruit, mais savoir laisse notre faible organisation dans un perpétuel état de calme. » Il possède, remarque Balzac, le « masque ricaneur de Méphis-
tophélès ». En mettant Raphaël en contact avec les puissances magiques, il joue bien le rôle d'intercesseur de l'au-
delà. Il est le seul personnage fantastique du roman.

- *Le mythe de la peau de chagrin*

La peau de chagrin est un objet surnaturel par ses quali-
tés physiques extraordinaires et ses pouvoirs sur la vie de
son propriétaire. Elle possède la souplesse d'un être
vivant, résiste au feu, et son rétrécissement reste inexpli-
qué.

Mais elle est avant tout un symbole, celui de l'épuise-
ment de notre énergie vitale, à travers la réalisation de
nos désirs. Pour Balzac, chaque homme est prisonnier de
l'alternative suivante : vivre une vie intense mais brève,
pleine de désirs et de passions, ou mener une existence
paisible, sans jouissance, qui permet de dépenser son énergie avec parcimonie. Raphaël choisit l'intensité au détriment de la longévité.

En guise de conclusion

Pendant longtemps, la littérature fantastique a été méprisée et reléguée au rang de la littérature marginale et populaire. De plus, la France, pays où la raison l'a toujours emporté sur l'imagination, a cantonné le fantastique dans les genres mineurs.

Depuis quelques décennies, la critique littéraire redécouvre le fantastique et exhume des œuvres méconnues. Les grands auteurs révèlent un nouveau visage ; des écrivains oubliés refont surface. De plus, la psychanalyse éclaire d'un jour nouveau les histoires qui s'enracinent fortement dans notre inconscient. Il était temps de donner des lettres de noblesse à un genre foisonnant et riche de chefs-d'œuvre. Les anthologies et les études se multiplient mais qu'en est-il de la vie du fantastique aujourd'hui, en France ?

Les auteurs contemporains n'hésitent pas à mélanger des genres différents dans leurs productions. La littérature n'est plus régie selon des règles rigides et canoniques.

C'est pourquoi le fantastique affleure souvent dans les œuvres où il côtoie d'autres formes. Rares sont les productions relevant exclusivement du fantastique.

Le fantastique après avoir été un genre adoré autour de 1830, remis au goût du jour par les surréalistes, occupe aujourd'hui une place réelle mais réduite dans la production littéraire française. Ce n'est plus un fantastique aussi « pur » que celui de Maupassant ; il a subi les métamorphoses du siècle[1]. Il est supplanté par la science-fiction et relève difficilement le défi du cinéma.

---

1. Voir le chapitre sur l'évolution du fantastique au XXᵉ siècle, page 30.

La science-fiction répond davantage aux questions que se pose l'homme du XXe siècle. L'angoisse de l'avenir prend le pas sur l'angoisse face au surnaturel.

Le cinéma, grâce à la puissance évocatrice de l'image et aux prouesses techniques, impose avec encore plus d'efficacité que la littérature un univers imaginaire, où règnent monstres et vampires. Dracula a quitté les livres pour les écrans.

Le cinéma fantastique, qui a son festival annuel à Avoriaz, s'épanouit aujourd'hui dans un genre plus large, l'*heroic fantasy*[1]. On y voit des héros aux prises avec des monstres préhistoriques ou marins, avec des sorciers mais aussi des extra-terrestres. Le cinéma n'impose plus de barrières à l'imaginaire : tout lui est possible. Il ne s'agit plus d'ébranler nos certitudes, de jouer sur les frontières entre possible et impossible. L'*heroic fantasy* entraîne d'emblée le spectateur dans les temps mythiques de l'humanité. Ce genre nouveau abandonne l'hésitation fantastique au profit d'une fête de l'imagination ; le héros sort de ses épreuves vainqueur et affermi. Le fantastique n'a-t-il pas fait place à une nouvelle forme de merveilleux ?

1. Voir page 37.

Quelques lectures conseillées

Anthologies :

Roger Caillois, *Anthologie du fantastique*, Paris, Gallimard, 1966, 2 vol. Une anthologie qui offre le mérite de réunir des textes fantastiques du monde entier.

Jacques Goimard et Roland Stragliati, *La grande anthologie du fantastique*, Paris, Presses Pocket, 1977, 10 vol. C'est l'anthologie la moins chère et la plus récente. Elle comprend dix volumes regroupés autour de grands thèmes de la littérature fantastique occidentale. Les textes choisis sont passionnants et variés ; un travail remarquable.

Études générales sur le fantastique :

Pierre-Georges Castex, *Le conte fantastique en France, de Nodier à Maupassant*, Paris, J. Corti, 1951. Un classique.

Sigmund Freud, *Essais de psychanalyse appliquée*, Gallimard, 1933, Idées ; lire l'article intitulé « L'inquiétante étrangeté ».

Caroline Masseron, « Le récit fantastique », *Pratique*, n° 34, juin 1982. Une bonne mise au point.

Tzvetan Todorov, *Introduction à la littérature fantastique*, Paris, Le Seuil, Points, 1970. Ouvrage assez difficile mais qui a le mérite de proposer une définition claire du fantastique.

Louis Vax, *L'art et la littérature fantastique*, Paris, PUF, Que sais-je ? 1960. D'accès facile mais tombe parfois dans le catalogue.